DIDÁCTICA DE LA PROSODIA DEL ESPAÑOL: LA ACENTUACIÓN Y LA ENTONACIÓN

COLECCIÓN E   serie ESTUDIOS

DIDÁCTICA DE LA PROSODIA DEL ESPAÑOL: LA ACENTUACIÓN Y LA ENTONACIÓN

MAXIMIANO CORTÉS MORENO

Colección dirigida por:

- **Sonsoles Fernández**

  Escuela Oficial de Idiomas de Madrid
  Consejería de Educación de España en Lisboa

- **Juan Eguiluz Pacheco**

  Director académico de International Studies Abroad

Editorial Edinumen
Piamonte, 7
28004 - Madrid
Tfs.: 91 308 22 55 - 91 308 51 42
Fax: 91 319 93 09
e-mail: edinumen@edinumen.es
www.edinumen.es
I.S.B.N.: 84-95986-01-9
Depósito Legal: M-46.126-2.002
Diseño portada: Antonio Arias
Maquetación: Susana Fernández
Ilustraciones: Juan V. Camuñas
Imprime: Gráficas Glodami. Coslada (Madrid)

ÍNDICE

Prólogo 9

1. LA PROSODIA ESPAÑOLA **11**

   1.1. Conceptos y términos básicos en el estudio de la prosodia 11

   1.2. La acentuación...16

      1.2.1. Definición y caracterización de la acentuación 16

      1.2.2. Parámetros de la acentuación 18

      1.2.3. Funciones de la acentuación..20

      1.2.4. Tipología acentual..20

   1.3. La entonación 22

      1.3.1. Conceptos y términos básicos en el estudio de la entonación....22

      1.3.2. Definición y caracterización de la entonación 24

      1.3.3. Funciones de la entonación 26

      1.3.4. ¿La entonación es un fenómeno universal o lingüístico? ..27

      1.3.5. Entonación y lenguaje no verbal 29

      1.3.6. Entonación y gramática...29

      1.3.7. Unidades de análisis de la entonación 30

      1.3.8. Descripción de la entonación española 32

      Actividades 37

2. ADQUISICIÓN DE LA PROSODIA **39**

   2.1. Punto de partida: el caso de la L_1..39

   2.2. Diferencias entre niños y adultos en la adquisición fónica..........41

   2.3. ¿La entonación es un componente más de la lengua? 43

   2.4. Adquisición de la prosodia en el marco del análisis contrastivo 46

   2.5. Adquisición de la prosodia en el marco del análisis de errores........49

   2.6. Adquisición de la prosodia en el marco de la interlengua 50

   2.7. Transferencia prosódica de la L_1 a la LE 52

   2.8. Acento extranjero e inteligibilidad 54

   2.9. Procesamiento de la prosodia 55

   Actividades..58

3. **DIDÁCTICA DE LA PROSODIA EN LAS CLASES DE ELE** **59**

   3.1. El papel de la prosodia en las clases de ELE.....................59

   3.2. El papel de la acentuación y la entonación
      en diversos métodos y enfoques didácticos 62

   3.3. El peso específico de la acentuación y la
      entonación en los materiales de ELE 65

   Actividades...67

4. **UN MODELO DIDÁCTICO DE LA ACENTUACIÓN Y
DE LA ENTONACIÓN EN ELE** **69**

   4.1. Introducción...69

   4.2. Concienciación de la importancia de la
      acentuación y de la entonación 71

   4.3. El punto de partida..74

   4.4. Los contenidos prosódicos del programa de ELE 77

   4.5. El enfoque didáctico..81

   4.6. El papel del profesor y el de los alumnos.....................91

   4.7. Las actividades didácticas 93

   4.8. El material didáctico..96

   4.9. La corrección y evaluación 99

   4.10.Recapitulación 105

   Actividades...106

5. **ACTIVIDADES DE ACENTUACIÓN Y ENTONACIÓN** **107**

   5.1. Tipología de actividades...107

   5.2. Propuestas concretas de actividades..........................112

      5.2.1. Actividades de acentuación..............................114

      5.2.2. Actividades de entonación 121

   Actividades...139

Bibliografía básica **141**

Referencias bibliográficas...................................**143**

Apéndice **153**

PRÓLOGO

Como estudiante y como profesor de lenguas extranjeras, he podido constatar que la entonación es uno de los aspectos más difíciles de aprender en un idioma extranjero y uno de los que mayores malentendidos originan en la comunicación oral; paradójicamente, sigue siendo uno de los más desatendidos en la enseñanza del español como lengua extranjera (ELE).

Esa falta de atención se debe a varios factores. Uno de ellos es la tradición fonológica, que se centra en los fonemas y presta poca atención a los fenómenos suprasegmentales –acentuación, ritmo, entonación y pausas–. Otro factor es la tradición didáctica, orientada hacia los procesos sintéticos, es decir, comenzar por las unidades lingüísticas menores y, a partir de ellas, ir construyendo unidades mayores, lo que en el caso de la fonología implica comenzar por los fonemas, con ellos construir sílabas, con éstas formar palabras, etc.; la creencia viene siendo que lo importante es pronunciar correctamente cada sonido de la lengua extranjera (LE) y saber combinarlo bien con los demás sonidos que le preceden o que le siguen. Estos dos factores, entre otros, hacen que los sonidos de la LE se trabajen desde el principio del aprendizaje, pero que el ritmo, la entonación, etc., vayan quedando en una lista de espera. Por otra parte, en los materiales de enseñanza de la LE la tónica general es que la prosodia tampoco queda lo suficientemente atendida.

En tales circunstancias, no es de extrañar que algunos profesores de LE lleguen a pensar que la prosodia es un componente secundario del lenguaje y que, al fin y al cabo, los alumnos ya la irán aprendiendo a base de escuchar al profesor y a otros nativos en vivo o en las grabaciones que se emplean en clase, en el laboratorio de idiomas, etc. Además, es comprensible que uno se sienta desorientado a la hora de enseñar algo que nadie le enseñó cuando era alumno, máxime si uno no es hablante nativo de la LE que está enseñando. Y es que todos hemos recibido explicaciones sobre la gramática española (diferencias entre el indicativo y el subjuntivo, entre el pretérito imperfecto y el indefinido, etc.), pero ¿y sobre la fonología suprasegmental? ¿Nos han explicado, p. ej., qué es la frecuencia fundamental, una inflexión tonal, la declinación o un grupo fónico?

Es precisamente de esta fonología, de la que trasciende más allá de los fonemas de la lengua española y estudia su prosodia, de la que vamos a tratar en este libro, con el propósito de empezar a cubrir esa laguna secular. Probablemente ese descuido no haya tenido mayores consecuencias en el pasado, pero en la actualidad ya son millones los extranjeros que estudian nuestra lengua en todo el mundo, y ello constituye el mayor aliciente para autosuperarnos día a día.

Esta obra consta de cinco capítulos, cada uno con su propio objetivo.

El 1.er capítulo constituye una introducción a la prosodia de la lengua española: una descripción de la acentuación y la entonación en esta lengua. Objetivo: definir algunos conceptos básicos en materia de prosodia y caracterizar estos dos fenómenos suprasegmentales.

El 2.º capítulo lo dedicamos a estudiar los procesos de aprendizaje de la acentuación y la entonación; en él abordamos cuestiones psicolingüísticas que tienen una incidencia directa en la enseñanza de la acentuación y la entonación. Objetivo: invitar al lector a la reflexión sobre las cuestiones tratadas y sus implicaciones en la didáctica del ELE.

En el 3.er capítulo pasamos revista a una serie de obras relacionadas con la didáctica del ELE, examinando las sugerencias o indicaciones de múltiples autores, relativas a la enseñanza de la acentuación y la entonación, así como de la pronunciación, en general. Al mismo tiempo, analizamos el papel que ocupan estos fenómenos prosódicos en los materiales de enseñanza. Objetivo: ofrecer al lector una visión más cabal del tema, basándonos en los resultados de nuestra propia revisión bibliográfica.

En el 4.º capítulo acometemos la elaboración de un modelo de adquisición de la acentuación y de la entonación en ELE. En el diseño del modelo tenemos en cuenta un buen número de propuestas de otros lingüistas y/o profesores, así como nuestra propia experiencia discente y docente de LLEE. Objetivo: ofrecer al profesor de ELE un marco de acción en el que trabajar la prosodia con sus alumnos.

En el 5.º y último capítulo presentamos una serie de propuestas didácticas concretas y variadas para la enseñanza de la acentuación y la entonación españolas a extranjeros. Objetivo: ofrecer al profesor de ELE instrumentos con los que trabajar la prosodia en clase.

* * * * *

Agradecimiento: Este manual está basado en mi tesis doctoral. Mi más sincero y cordial agradecimiento a mi director, el Dr. Francisco José Cantero, quien desde hace unos cuantos años viene sabiamente guiando mis pasos por los apasionantes senderos de la fonética y por la entrañable melodía de nuestra lengua castellana.

* * * * *

A Pascual, en el recuerdo.

1. LA PROSODIA ESPAÑOLA

1.1. Conceptos y términos básicos en el estudio de la prosodia

Cuestiones clave

- ¿Qué es la prosodia?
- ¿Qué es el sonido?
- ¿Cómo se produce el sonido en el aparato fonador humano?
- ¿Cuáles son las características del sonido? ¿Qué hace que un sonido sea distinto de otro?
- ¿Cuáles son los fenómenos prosódicos o suprasegmentales en español?

¿Qué es la prosodia?

La **fonología** se divide en fonemática y prosodia. La **fonemática** estudia los fonemas de una lengua, es decir las vocales, las consonantes, las semivocales y las semiconsonantes. Los fonemas son conceptos abstractos que nos sirven para clasificar los sonidos de una lengua. Lo que producimos o percibimos en la comunicación oral no son fonemas, sino sonidos. Así, el habla es una sucesión de sonidos o segmentos: cada sonido se considera un **segmento**. La **prosodia**, por su parte, estudia principalmente los fenómenos fónicos que afectan a unidades superiores al fonema (aunque también estudia los rasgos inferiores a él). A estos fenómenos se les llama **suprasegmentales**, dado que abarcan más de un segmento, es decir, se extienden a lo largo de más de un segmento. En el caso del español, los dos fenómenos suprasegmentales más relevantes son la acentuación y la entonación.

Como preámbulo al estudio de la acentuación y la entonación, esbozaremos unos conceptos básicos.

¿Qué es el sonido?

Al vibrar un cuerpo en un medio natural (sea sólido, líquido o gaseoso), se producen unas variaciones de presión, que constituyen el sonido.

¿Cómo se produce el sonido en el aparato fonador humano?

Debido, principalmente, a la acción del diafragma, el aire de los pulmones es expulsado hacia el exterior. En este acto se forma un cono de aire, cuya máxima presión se concentra arriba, en la punta. La enorme presión ejercida por la punta del cono consigue separar los **pliegues vocales** (comúnmente llamados *cuerdas vocales*). Como resultado, el aire infraglótico, franqueando el paso de la glotis, asciende por la tráquea. Una vez liberada la punta del cono hacia las cavidades supraglóticas, disminuye la presión del aire infraglótico[1]. Al escapar la punta de aire por la tráquea, se crean en la glotis minúsculos puntos de vacío. Estos puntos, siguiendo las leyes de la Física, deben ser ocupados por materia. En ese momento los pliegues vocales, que, una vez remitida la fuerza que los separaba, tienden a aproximarse de nuevo, aceleran ese acercamiento por la fuerza de succión originada en el vacío creado en la glotis, llegando a unirse. Debido a las diferencias de presión entre la punta de aire que ya se halla en la tráquea y el aire envolvente, se generan unas turbulencias, que constituyen el sonido. El sonido, pues, se genera en el preciso instante en que los pliegues vocales están en contacto.

¿Cuáles son las características del sonido?

Aclaremos estos términos básicos empleados en fonética y en especial en el estudio de la prosodia: el *tono*, el *timbre*, la *intensidad* y la *duración*.

1. El **tono**, cuyo correlato acústico esencial es la **frecuencia fundamental (F_0)**. Cuando un sonido tiene una F_0 alta (vibraciones rápidas de los pliegues vocales), percibimos un tono agudo y cuando tiene una F_0 baja (vibraciones lentas) percibimos un tono grave. La F_0 se mide en ciclos por segundo (c.p.s.) o hercios (Hz). Cada movimiento de apertura y cierre de los pliegues vocales constituye una vibración, esto es, un ciclo; así, es igual decir, p. ej., 100

---

[1] Este teorema se conoce como *efecto de Bernoulli*.

c.p.s. que 100 Hz. La banda de frecuencias que el sistema auditivo humano percibe se sitúa entre los 16 Hz y los 20.000 Hz. Dentro de esa banda, cuanto menor sea el número de Hz, tanto más precisa es la percepción. Según Ladefoged (1962: 176), por debajo de los 2.500 Hz una diferencia de 4 Hz es suficiente para percibir un cambio; a los 8.000 Hz es necesaria una de 18 Hz; a los 12.000 Hz, una de 22 Hz, y así sucesivamente.

2. Simultáneamente a la vibración del cuerpo en su conjunto (F_0), se producen unas vibraciones parciales, conocidas como **armónicos** (que percibimos en bloque, no uno por uno), cuyo correlato auditivo es el **timbre**. Éste nos permite distinguir entre los sonidos de una lengua, p. ej., entre [o] y [u], así como entre la voz de una persona y la de otra. Los armónicos son siempre múltiplos de la F_0. Por ejemplo, de un segundo armónico de 240 Hz, de un tercero de 360 Hz, de un cuarto de 480 Hz y de un quinto de 600 Hz, se infiere una F_0 de 120 Hz, una voz típica masculina. El timbre viene determinado, en última instancia, por la configuración que adoptan los resonadores supraglóticos[2], en especial, la cavidad bucal, potenciando unos armónicos y filtrando (neutralizando) otros. El timbre (*voice quality*) desempeña un papel importante en la comunicación, dado que proporciona información acerca de la identidad personal, social y geográfica del hablante. Por ejemplo, en español puede expresarse cursilería con la nasalización, afecto con la palatalización o desidia (*pasotismo*) con una abertura vocálica generalizada.

3. La **intensidad** es lo que comúnmente se denomina *volumen*; su correlato acústico es la **amplitud** de onda. Depende directamente de la presión infraglótica[3]: cuanto mayor sea dicha presión, tanto mayor será la intensidad con que percibamos el sonido, es decir, tanto más *alto* o más *fuerte* nos resultará. La amplitud se mide en decibelios (dB). En el ser humano la audición normal oscila entre 35 dB y 90 dB; por encima de 90 dB comienza a ser molesta. En la valoración de la intensidad de un sonido percibido, el oído humano no es capaz de una precisión equiparable a la del tono. La intensidad es un parámetro vulnerable al viento, variable según la distancia entre el oyente y el hablante, la posición

---

[2] Las cavidades de resonancia situadas por encima de la glotis (la garganta); simplificando, la boca y la nariz.
[3] La presión que ejerce el aire desde los pulmones hacia la garganta.

de la cabeza de éste, etc.; de modo que no puede tener un valor netamente lingüístico.

4. La **duración**, cuyo correlato acústico es la **cantidad**. Este parámetro permite distinguir, p. ej., entre vocales largas y breves en latín, en alemán, en esloveno, etc. Se trata de un parámetro de *segundo grado*: medimos la duración de un determinado tono, de una determinada intensidad, etc. (Cantero, 1995: 44-46). Podríamos decir que los tres parámetros anteriores (tono, timbre e intensidad) constituyen la *materia prima* del sonido, y que la cantidad es la medida con que determinamos sus dimensiones.

Recapitulando, todo parece indicar que el tono es el parámetro más relevante del sonido. Ello queda debidamente justificado con las siguientes constataciones: el sistema auditivo humano es más sensible a las diferencias de tono que a las de intensidad o duración; algunas condiciones extralingüísticas –distancia, orientación del hablante o del oyente, viento...– afectan a la intensidad; otras –la respiración, el cansancio–, a la duración; pero el tono es mucho menos vulnerable (Bolinger, 1986: 22). Una vez que hemos esbozado las características del sonido, ya podemos empezar a estudiar los *fenómenos suprasegmentales* o *prosódicos* (también llamados *prosodemas*).

¿Cuáles son los fenómenos prosódicos o suprasegmentales en español?

Los dos esenciales son la **acentuación** y la **entonación**, a los que dedicamos esta obra. Un tercer fenómeno prosódico es el **ritmo**, cuya función esencial es agrupar los sonidos del discurso en bloques, llamados *palabras fónicas o grupos rítmicos*, con el fin de facilitar la descodificación y comprensión del mensaje (Cantero, 1995: 254). Otra función del ritmo lingüístico es evitar la monotonía, contribuyendo a mantener la atención del oyente, atención necesaria para comprender el mensaje.

Expliquemos, antes de proseguir, que una *palabra fónica* (un concepto clave en materia de prosodia) es una palabra acentuada, acompañada o no de otra(s) palabra(s) inacentuada(s), p. ej., *edad, su edad, con los de su edad*. Quede claro que la palabra fónica o grupo rítmico es una unidad concreta del plano fónico y que no debe confundirse con la palabra léxica, una unidad abstracta del plano léxico-gramatical (Cantero, 1995). Veamos un ejemplo; en este enunciado hay 6 palabras léxicas, pero sólo 3 palabras fónicas (separadas por guiones): *Me gusta*

– *la comida* – *de Taiwán*. Las palabras fónicas o grupos rítmicos, al margen de ser la unidad rítmica por antonomasia, son fundamentales en el estudio de la acentuación y de la entonación.

En determinadas lenguas (p. ej., el inglés) se considera que el esquema rítmico propio es de isocronía acentual (*stressed timed*). Es decir, el tiempo que transcurre entre cada dos sílabas tónicas[4] en un discurso es aproximadamente el mismo, independientemente de cuántas sílabas átonas medien entre ambas sílabas tónicas; de modo que a mayor número de sílabas átonas, *mayor tempo de elocución*[5] (v. Cortés Moreno, 1996). De otras lenguas, entre ellas, el español, se dice que siguen el esquema rítmico de *isocronía silábica*: tendencia a que todas las sílabas de un enunciado tengan la misma duración. Una variante de esta teoría es la que propone Cantero (1995: 255, 297) de *isocronía de palabra fónica y de grupos fónicos*[6], según la cual, la tendencia es a igualar la duración no de cada sílaba, sino de cada palabra fónica y de cada grupo fónico. En cualquier caso, entendemos que se trata de tendencias. Es improbable que, p. ej., en la palabra *trans-por-te* la duración de todas las sílabas coincida; como tampoco es probable que en un determinado contexto discursivo tengan la misma duración las dos palabras fónicas siguientes: *Dile - que se prepare*.

Las **pausas**, por su parte, también contribuyen de forma decisiva a caracterizar los patrones[7] rítmicos y entonativos de la lengua. No todas las pausas cumplen la misma función. Quilis (1993: 416-7) distingue los siguientes tipos: fisiológicas (para respirar), lingüísticas (condicionadas por la sintaxis, la semántica, la expresividad) y titubeos (p. ej., para buscar un término apropiado). Quede claro que la pausa en el lenguaje oral no es un correlato sistemático de la coma en el lenguaje escrito. Veamos un par de ejemplos en que las comas -que no las pausas- son obligatorias para separar el vocativo del resto de la frase: *Oye, Elvira ..., Calla, Anita*.

---

[4] Una sílaba tónica es la que lleva el acento de una palabra; las demás sílabas son átonas.

[5] El *tempo de elocución* es la velocidad con que se habla.

[6] Las *palabras fónicas* se agrupan en unidades mayores que llamamos *grupos fónicos*.

[7] Los patrones acentuales, rítmicos y entonativos son los esquemas generales y básicos propios de cada lengua en materia de prosodia. Más abajo veremos ejemplos concretos del español.

1.2. La acentuación

- ¿Qué se entiende por *acentuación*?
- ¿Qué le permite al oyente distinguir entre sílabas acentuadas e inacentuadas?
- ¿Cómo consigue el hablante producir unas y otras de modo diferenciado?
- ¿Qué significa que la acentuación es un fenómeno *suprasegmental*?
- ¿Cuál es la unidad básica en el análisis de la acentuación?
- ¿Qué funciones cumple la acentuación en el sistema lingüístico español?
- ¿Qué tipos de acento existen en español?

1.2.1. DEFINICIÓN Y CARACTERIZACIÓN DE LA ACENTUACIÓN

¿Qué entendemos por acentuación?

La **acentuación** es un *fenómeno fónico que se manifiesta en el habla a través de diversos rasgos –fundamentalmente: tono, cantidad e intensidad–, mediante los cuales se realza una sílaba por encima de otras sílabas de una misma palabra fónica.* Así, existen vocales acentuadas (o tónicas) e inacentuadas (o átonas). El hablante realiza un mayor esfuerzo en la sílaba acentuada y el oyente percibe una cierta prominencia en dicha sílaba.

¿Qué significa exactamente que una vocal o que una sílaba está acentuada?

¿Qué la hace diferente de una inacentuada?

En la tradición fonológica española se habla de que el acento recae sobre una determinada vocal o una determinada sílaba, imagen que cabe asociar con la tilde que se coloca sobre la vocal en cuestión (perspectiva lecto-escritora). La fonología generativa también comulga con esta tradición, postulando que la acentuación es generada por la estructura léxico-fonética de la frase: primero se crea la frase con sus palabras y sílabas; después a cada sílaba se le asigna o no acento, según las reglas de generación rítmico-acentual. La supuesta superposición del acento a una vocal, una sílaba o una palabra es una asunción carente de fundamento fonético. Aunque desde el punto de vista léxico resulta económico englobar *célebre*, *celebre* y *celebré* en una misma familia léxica, la realidad fonética es que se trata de tres significantes independientes, por más que compartan varios segmentos. Convendremos en que *vaso* y *paso* se diferencian entre sí por unos rasgos tímbricos del primer fonema: laxo y sonoro en /b/; tenso y sordo en /p/. Convendremos asimismo en que comparten los otros tres fonemas /a/, /s/ y /o/. Del mismo modo, *paso* y *pasó* coinciden en los tres primeros fonemas y sólo difieren en la naturaleza átona y tónica, respectivamente, del último.

La **tonicidad** –*calidad de vocal átona o tónica*– es una propiedad intrínseca de la unidad fónica en cuestión. Concebir que la tonicidad yace en la esencia de la vocal como cualidad inmanente conlleva ciertas implicaciones fonológicas. En algunas lenguas, como el catalán, el portugués o el esloveno (v. Cortés Moreno, 1992, 2002d), se estudia el vocalismo desdoblado en fonemas tónicos y átonos. En español, las diferencias entre unos y otros no son suficientes como para justificar tal desdoblamiento. Cantero (1995: 285) sugiere una alternativa intermedia, que consiste en desdoblar los cinco fonemas vocálicos en alófonos[8] tónicos y alófonos átonos, p. ej., /a/: [á] y [a], con lo que no se incrementa innecesariamente el número de fonemas.

¿Por qué se considera la acentuación un fenómeno suprasegmental?

El fenómeno de la acentuación no se ciñe exclusivamente a una vocal (o a una sílaba), la denominada *acentuada o tónica*. Es cierto que el acento se manifiesta en dicha vocal. No obstante, su valor fonológico sólo cobra sentido al ponerse de relieve la vocal acentuada sobre las inacentuadas de su misma palabra fónica. El patrón acentual precisa de un punto de apoyo átono para poder realzar la vocal tónica. En suma, es precisa una **relación tónica - átona(s)**, que, obviamente, abarca más de un segmento. Por consiguiente, la acentuación es un fenómeno suprasegmental. Veámoslo con un ejemplo. Si oímos la sílaba aislada /sa/, no podemos saber a ciencia cierta si su vocal es átona o tónica, porque carecemos de la referencia de las vocales de otras sílabas y

---

[8] Los **alófonos** son los *sonidos variantes que constituyen un fonema.*

entonces no podemos comparar. Por el contrario, si oímos /lamésa/ o /losábe/, sí estamos en condiciones de establecer una relación átonas – tónica: vemos que /sa/ es átona en /lamésa/ y tónica en /losábe/.

¿Cuál es la unidad básica en el análisis de la acentuación?

La unidad básica en el análisis de la acentuación española, esto es, la unidad acentual, es la *palabra fónica* (Cantero, 1995)[9]. En cada palabra fónica existe un esquema o patrón de acentuación construido con una sílaba acentuada (A) (y una o más inacentuadas (I)), que denominamos *acentema*. Veamos unos ejemplos: en *árbol* el acentema es AI; en *aviones*, IAI; en *dinosaurios*, IIAI, etc. Luego, el **acentema** es *la unidad fonológica de la acentuación,* que se aloja en la palabra fónica. Cada palabra fónica tiene, pues, un solo acentema.

1.2.2. PARÁMETROS DE LA ACENTUACIÓN

¿De qué se sirve el hablante para poner una sílaba de relieve?
¿Qué le induce al oyente a percibir como acentuada esa sílaba[10]?

La teoría más extendida es que los parámetros[11] principales en varios idiomas (francés, inglés, alemán, chino, español...) son el tono, la duración y la intensidad, ya sea aislados o combinados entre sí. Algunos autores mencionan, además, el timbre.

En realidad, el término **intensidad** puede dar lugar a ambigüedades: ¿se refiere a un esfuerzo articulatorio? ¿o a la amplitud de las ondas acústicas? ¿o a la impresión auditiva que recibe el oyente? Conviene distinguir entre *intensidad* –un hecho físico determinado por la amplitud de las ondas– y *sonoridad perceptiva*– un hecho psicoacústico condicionado por el timbre del sonido: la sensación que nos causa la intensidad (Martínez Celdrán, 1996: 113).

Numerosos autores (p. ej., Solé, 1984) ponen en entredicho el papel que desempeña la intensidad en español, y consideran que el rasgo principal de la acentuación en esta lengua es el **tono**. De hecho, ya hace cinco siglos que De Nebrija explicaba (1492: 137-8): "Assí, que ai en el

---

[9] Esto no es así en todas las lenguas; p. ej., en chino es el pie acentual.
[10] El concepto de *acentuación* es similar en la mayoría de las lenguas. Sin embargo, las respuestas a estas dos preguntas varían de una lengua a otra.
[11] Por *parámetros* entendemos aquí los rasgos acústicos que configuran el acento: tono, cantidad, intensidad y timbre.

castellano dos acentos simples: uno, por el cual la sílaba se alça, que llamamos agudo; otro, por el cual la sílaba se abaxa, que llamamos grave. Como en esta dición *señor*, la primera sílaba es grave y la segunda aguda".

Según otros estudiosos (p. ej., Canellada y Kuhlmann, 1987: 68), es la **cantidad** el parámetro decisivo. Sin embargo, del estudio acústico sobre el español mexicano estándar llevado a cabo por Simões (1996), se desprende que la cantidad no es un correlato constante de la prominencia acentual; de hecho, es frecuente que los núcleos de las sílabas postacentuadas tengan una duración igual o superior a los de las propias sílabas acentuadas.

El **timbre** también desempeña un papel, aunque mínimo, en la producción y percepción de la acentuación. El timbre de las vocales átonas suele ser más inestable, hecho que posibilita la centralización[12] en varias lenguas, entre ellas, el español. Las vocales acentuadas, por su parte, presentan una mayor tensión y abertura (Quilis y Fernández, 1985: 154). En cualquier caso, el timbre se considera un parámetro poco relevante en español, salvo en circunstancias especiales, p. ej., en el habla cuchicheada.

Además de esa información acústica que hemos comentado -tono, intensidad, duración y timbre-, los oyentes también echan mano de sus conocimientos fonológicos, tal como explican Liberman y Prince (1977) en una nueva concepción de orientación generativista, la denominada *fonología métrica*. Los autores estiman que el factor decisivo en la percepción del acento es la posición que ocupa cada sílaba en el grupo rítmico (palabra fónica), de modo que conciben la acentuación como un **fenómeno rítmico** *(stress-as-rhythm)*. Varios años antes, Householder (1957: 243-4) había realizado un experimento en el que daba a escuchar a un grupo de oyentes una grabación con un sonido repetido quince o veinte veces. A pesar de que todos los sonidos eran idénticos, los sujetos creían oír acentos en algunos de ellos, lo que llevó a Householder a concluir que "oímos cosas que no existen".

Con respecto al español, Pamies (1997: 22) manifiesta que los tres parámetros –tono, duración e intensidad– pueden actuar de cuatro formas

---

[12] En español la vocal central es la /a/. *Centralización (neutralización o reducción vocálica)* significa que unas vocales que, en principio son anteriores, p. ej., /i, e/ retrasan su lugar de articulación, o bien que unas vocales que, en principio son posteriores, p. ej. /u, o/ adelantan su lugar de articulación, en ambos casos aproximándose al lugar de articulación propio de las vocales centrales; de modo que puede llegar a neutralizarse (eliminarse) alguna oposición fonológica y reducirse el número de vocales en el sistema fonológico de la lengua en cuestión.

en la configuración del acento: (1) *económica* –cualquiera de los tres por sí solo–, (2) *redundante* –los tres en conjunción–, (3) *implícita* –parámetros elípticos– y (4) *paradójica* –los parámetros se contradicen entre sí, pero la información acentual se transmite–. Aquí puntualiza el autor: "El dominio del idioma permite captar espontáneamente cuándo se descarta un rasgo a favor de otro, e incluso los acentos no realizados (*implícitos*)". También el contexto fonológico, explica Pamies (op. cit.: 22-3), desempeña un papel clave en la perfecta comunicación: "la realización física (acento fonético) no tendrá por qué coincidir plenamente en cada caso con el prosodema abstracto (acento fonológico), al igual que la /k/ puede no realizarse en la palabra *dirección* sin que ni el emisor ni el receptor sean siquiera conscientes de su supresión".

Recapitulando, tras la prominencia de la sílaba que denominamos acentuada, puede haber varias causas, fundamentalmente:

(1) elevación del tono y/o de la intensidad y/o de la duración y

(2) la posición *privilegiada* que ocupa en el patrón rítmico.

1.2.3. FUNCIONES DE LA ACENTUACIÓN

La acentuación en español desempeña tres funciones: *contrastiva*, *distintiva* y *culminativa* (Quilis, 1993: 389). La **contrastiva** permite distinguir entre palabras acentuadas e inacentuadas. La **distintiva**, de escaso rendimiento, permite distinguir entre sí unidades léxicas como *máscara, mascara* y *mascará*. La **culminativa** consiste en agrupar en torno a una sílaba tónica una serie de sílabas átonas, formando así una palabra fónica. La vocal tónica no sólo es el núcleo de la sílaba tónica, sino que, además, se constituye en núcleo de la palabra fónica entera[13].

1.2.4. TIPOLOGÍA ACENTUAL

¿Qué tipos de acento existen en español?

Cada *palabra fónica (grupo rítmico)* tiene un **acento de palabra fónica** (*stress*), que está relacionado con el ritmo y que aquí vamos a representar

---

[13] En las lenguas de acento fijo (francés, polaco, etc.) la acentuación cumple, además, la función **demarcativa**: demarcar unidades acentuales.

subrayando la vocal, p. ej., *con una piscina*. Una sola o varias palabras fónicas forman un grupo fónico, con tantos acentos como palabras fónicas lo compongan. En cada grupo fónico aparece, además de los anteriores, un **acento de grupo fónico** *(accent)*, que está relacionado con la entonación. Éste es el más prominente de entre todos los acentos de palabra fónica que hay en ese grupo fónico, un acento que recae sobre una determinada vocal tónica, superponiéndose a su acento de palabra fónica (Cantero, 1995: 289 y ss.) y que aquí vamos a representar poniendo en mayúscula la vocal, p. ej., *un chalEt con una piscIna*. Con frecuencia, se alude a este segundo tipo como *acento de frase* o *sentence stress*, un término tan inapropiado en el ámbito de la prosodia como la unidad gramatical *frase*, propia del lenguaje escrito y que no refleja con fidelidad la estructura del lenguaje oral. Como alternativa, nosotros preferimos hablar de *enunciado* (que puede coincidir con la frase, pero no necesariamente), compuesto por *grupos fónicos*. En el siguiente enunciado vemos cómo no hay uno sólo, sino dos acentos de grupo fónico: *Dice | que va a comprArse || un chalEt | con una piscIna*[14] ¿Cómo se podría hablar aquí de *acento de frase*?

Asimismo, existe un tipo de acento denominado **enfático** o **contrastivo**, que, como su nombre indica, sirve para dar énfasis a una porción del enunciado, o bien para contrastarla con otra porción del mismo o de otro enunciado.

En cuanto a los **grados de acentuación** en español, basta con distinguir entre presencia de acentuación (/+ acentuación/) y ausencia de acentuación (/- acentuación/), por lo que fonológicamente puede describirse el fenómeno mediante el rasgo binario /± acentuación/[15]. Sólo en el caso de los adverbios terminados en *-mente* podría hablarse de acento secundario, pero este acento carece de valor fonológico (Alcina y Blecua, 1975: 447).

---

[14] En el Alfabeto Fonético Internacional (AFI) se emplea el signo [‖] para separar grupos fónicos y el signo [|] para separar grupos rítmicos (v. Nolan, 1995: 12).

[15] También hay quienes distinguen tres grados, p. ej., D'Introno et al. (1995: 157-73): *primario, secundario* y *terciario*.

1.3. La entonación

Cuestiones clave

- ¿Cómo podemos definir la entonación?
- ¿Qué papel desempeña el contexto en la producción e interpretación de la entonación?
- ¿Qué funciones cumple la entonación?
- ¿En qué medida es la entonación un fenómeno universal, innato y en qué medida es un fenómeno convencional, aprendido, distinto en cada lengua?
- ¿Existe alguna relación entre el lenguaje no verbal y la entonación?
- ¿Y entre la gramática y la entonación?
- ¿En qué unidades se puede fragmentar el discurso para el análisis de la entonación?
- ¿Cómo funciona el sistema entonativo del español?
- ¿Qué rasgos fonéticos y fonológicos permiten describir la entonación española?

1.3.1. CONCEPTOS Y TÉRMINOS BÁSICOS EN EL ESTUDIO DE LA ENTONACIÓN

En este apartado vamos a esbozar los siguientes conceptos: *entonación, melodía, entonema, tono, campo tonal, registro* y *declinación*.

La **frecuencia fundamental (F_0)** es un parámetro acústico, la realidad que detectan los instrumentos del laboratorio, mientras que la **entonación** es un fenómeno netamente lingüístico, fonológico, la interpretación que cada hablante-oyente hace de las variaciones de dicho parámetro. La **melodía**, por su parte, es un concepto intermedio entre el de F_0 y el de entonación: la sucesión de movimientos tonales (elevaciones y descensos del tono) que configuran la curva melódica de cada grupo fónico (cfr. Cantero, 1995: 75-7). En síntesis, la melodía toma como base la F_0 y constituye la esencia de la entonación.

Un **entonema**[16] es *el correlato fonológico abstracto de un número infinito de curvas melódicas o contornos entonativos con suficientes carac-*

---

[16] El término *entonema* lo tomamos de García Riverón (1996).

terísticas en común para ser interpretadas como similares por un oyente que domine la lengua en cuestión. La realidad acústica del habla es irrepetible: un hablante no produce dos sonidos o dos curvas melódicas acústicamente idénticas. No obstante, la interpretación auditiva del oyente se basa en un proceso de simplificación: una percepción convergente, en la que infinitos sonidos y curvas melódicas se agrupan, respectivamente, en torno a fonemas y a entonemas, con lo que la realidad acústica se simplifica para su procesamiento fonológico. Las infinitas variantes de un entonema son comparables a las de un fonema. Dentro de los campos de dispersión respectivos, los sonidos o las curvas melódicas tienen libertad. Ahora bien, si rebasan las fronteras, pasan a formar parte de una nueva categoría. En consecuencia, el oyente dejará de percibir, p. ej., /b/ y empezará a percibir /p/; o dejará de percibir, p. ej., el valor interrogativo de un entonema y lo percibirá con valor declarativo.

De entre los varios parámetros físicos que caracterizan la entonación, es el **tono** el decisivo, y la F_0, su correlato acústico primordial. Desde la perspectiva de la percepción, 't Hart et al. (1990: 26) definen el tono (*pitch*) como: "la sensación producida o bien por la F_0, o bien por el máximo común divisor de los armónicos, o bien por ambos en conjunción". En el habla la F_0 no permanece estable, sino que experimenta infinitas variaciones. De ellas, una proporción considerable le pasan desapercibidas al oyente (las denominadas *variaciones micromelódicas*), quien sólo repara en las variaciones significativas para la comunicación, precisamente aquéllas que el hablante ha producido con intención ('t Hart et al., 1990: 40). Navarro Tomás (1944: 27) introduce el concepto de **tono normal**, el que cada persona "produce más naturalmente y con menor esfuerzo y fatiga". En los hombres, el valor medio de F_0 se sitúa entre 120 Hz y 125 Hz y en las mujeres, entre 200 Hz y 225 Hz. La F_0 media o normal de cada individuo es inversamente proporcional a la longitud y a la masa total de sus pliegues vocales.

El **campo tonal** (*accent range* o *pitch range*) lo entendemos como *la franja comprendida entre los valores tonales mínimos y máximos producidos en una curva melódica, en una emisión de voz o en un discurso completo.* Por **registro** (*register*) entendemos *la banda frecuencial (alta, media o baja) por la que se desarrolla el discurso del hablante, según las circunstancias.* Al respecto, comenta Cantero (op. cit.: 126): "se dice que un registro alto favorece entonaciones de cortesía o de inseguridad, mientras que un registro medio suena más objetivo, y un registro bajo favorece entonaciones de autoridad".

Por **declinación** entendemos *la tendencia descendente que muestra la F₀ a lo largo del discurso*, tal como muestra la flecha en la figura de abajo. Éste es, probablemente, el fenómeno más universal de la entonación. El descenso puede ser lento, desde el principio del enunciado, o bien rápido, en el tramo final. La declinación se debe, principalmente, a dos factores fisiológicos: la disminución paulatina de la presión infraglótica y la disminución de la tensión de los pliegues vocales. Se trata, pues, de un efecto automático e involuntario, no planificado por el hablante (cfr. Toledo y Martínez Celdrán, 1997: 192).

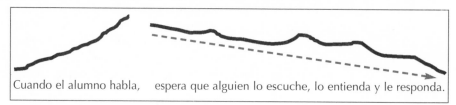

Cuando el alumno habla,   espera que alguien lo escuche, lo entienda y le responda.

1.3.2. DEFINICIÓN Y CARACTERIZACIÓN DE LA ENTONACIÓN

¿Qué es la entonación?

De ordinario, en las definiciones de la entonación se menciona una unidad (gramatical, discursiva, pragmática o fonológica). Veamos algunos ejemplos, en los que subrayamos las unidades en cuestión: "las variaciones de frecuencia –de F₀– a lo largo de la *cadena hablada*" (Cantero, 1991: 124); "la línea melódica con que se pronuncia un *mensaje*" (Alcina y Blecua, 1975: 452); "el conjunto de variaciones tonales a lo largo de un *enunciado (utterance)*" ('t Hart et al., 1990: 10). Otras unidades mencionadas son la *frase*, la *oración* e incluso *la palabra*. En efecto, no sólo un enunciado extenso, sino incluso una palabra monosílaba puede ser portadora de un entonema completo, p. ej., *¿No?* (curva ascendente), *Sí* (curva descendente).

Recapitulando, la **entonación** es *un cúmulo de rasgos prosódicos –entre los que cabe destacar la F₀, en primer lugar, así como la cantidad, la intensidad y las pausas, en segundo lugar– que emplean los hablantes de una lengua o de un dialecto con fines comunicativos.*

¿Cuáles son las características más destacables de la entonación?

La entonación es **significativa** –además de su significado fonológico inherente, aporta significado léxico-gramatical al enunciado–, **estructurable** –se puede analizar en unidades simples y compuestas–, **sistemática, convencional** –los entonemas no se inventan *ad hoc*, sino que se aprenden de otros hablantes– y **arbitraria** –diferente en cada lengua– (cfr. García Riverón, 1996: 29).

¿Qué papel desempeña el contexto en la producción e interpretación de la entonación?

Al estudiar la entonación, por lo general, se pretende asociar una estructura lingüística, una actitud, una función pragmática, etc., con un entonema determinado. Esa aproximación es válida como un primer paso. Ahora bien, para comprender el funcionamiento del complejo fenómeno entonativo y su auténtico y pleno valor comunicativo, resulta imprescindible atender al conjunto de la interacción y, de modo especial, a la negociación que se produce entre los interlocutores. Una perfecta interpretación de la entonación (captar todos los matices y sutilezas) sólo es factible cuando el oyente tiene en cuenta, además del **contexto lingüístico** en sí, el **contexto situacional comunicativo**: el lugar y el momento de la interacción, el papel de cada participante, la relación entre ellos, la experiencia conversacional compartida previamente.

Al igual que otros elementos conversacionales, también la entonación es objeto de **negociación** por parte de los interlocutores. Esto es, un mismo enunciado –las mismas palabras con la misma entonación– será producido por el hablante y asociado por el oyente con una u otra actitud, según el contexto lingüístico y extralingüístico en que se desarrolle la interacción. Prueba de ello es que a veces se le debe explicar a un *extraño* (alguien con poca experiencia conversacional compartida con los demás participantes) que, p. ej., lo que acaba de decir el hablante era metafórico, era irónico, etc.

Recapitulando, al igual que ocurre con la información segmental en la cadena fónica[17], también en la percepción e interpretación de la entonación, el oyente se encarga de aportar los datos necesarios (a partir de su bagaje lingüístico y cultural) para complementar el mensaje en aquellos casos en que éste ha sufrido una interferencia (un ruido, un lapsus de atención, etc.). Dicho sea de otro modo, el tono que el oyen-

---

[17] La secuencia de sonidos del habla, equivalente, salvando las distancias a la secuencia de letras en un texto escrito.

te percibe es preciso interpretarlo en términos de unidades fonológicas, como acentemas, esquemas rítmicos, entonemas, etc.; y para dicha interpretación, resulta inestimable el contexto prosódico del discurso en su globalidad.

1.3.3. FUNCIONES DE LA ENTONACIÓN

¿Qué funciones cumple la entonación?

La entonación tiene una identidad fonológica, pero también cumple funciones en diferentes niveles lingüísticos: léxico-semántico, gramatical, pragmático y discursivo. La entonación basta para distinguir, p. ej., un enunciado interrogativo (*¿Ya se ha ido?*) de uno declarativo (*Ya se ha ido.*). Incluso permite discriminar palabras, p. ej., *a* (preposición), *e, o, u* (conjunciones) con entonación /- enfática/, frente a *¡ah!, ¡eh!, ¡oh!, ¡uh!* (interjecciones) con entonación /+ enfática/. En tales casos la entonación desencadena oposiciones en otros niveles lingüísticos, sin por ello perder su significado fonológico inherente.

La función básica de la entonación es, sencillamente, transformar unas unidades lingüísticas (palabras, sintagmas, oraciones, frases) en unidades discursivas y comunicativas: enunciados, emisiones, diálogos, monólogos. Ésta es la función que Quilis (1993) denomina **integradora**. En segundo lugar, cumple una función **integradora-delimitadora**: aglutina cada unidad entonativa, a la vez que la separa de las demás del discurso. Es decir, contribuye a estructurar el habla, en general, y cada turno de habla, en particular, en porciones discursivas significativas y de fácil manejo, tanto para el hablante como para el oyente. Es, en definitiva, un valioso cohesionador del discurso oral -ya sea un monólogo, ya sea un diálogo; es, en cierto modo, "la puntuación del código oral" (Guimbretière, 1994: 12). Veamos un par de ejemplos. Un indicador de cambio de tema en un discurso es un descenso del tono al final de un tema y un tono alto al inicio del tema siguiente. E indicadores de cambio de turno de palabra son un descenso del tono, una disminución de la intensidad, un alargamiento del último segmento del enunciado o una pausa prolongada. Otros indicadores son de carácter no verbal, p. ej., señalar con la mano a la persona a quien se le cede la palabra, o bien dirigirle la mirada.

En suma, la entonación es un elemento clave en la fragmentación de un texto oral, en la estructuración de éste en términos de tema y rema[18] y en la cohesión de dicho texto. *Grosso modo*, estas funciones son las que Cantero (1995) abarca bajo el epígrafe **entonación prelingüística**. Además de ésta, la entonación cumple otras dos funciones: una netamente **lingüística** controlada por el hablante, usada para enunciar, preguntar..., y otra **paralingüística**, expresiva, espontánea, con la que se comunica la actitud y el estado de ánimo.

Lo cierto es que en cada enunciado residen dos componentes entonativos: uno puramente lingüístico y otro de carácter paralingüístico. En aquellos casos en que el peso específico del primero supera al del segundo, se considera que la entonación es declarativa o interrogativa; cuando el carácter paralingüístico prevalece sobre el estrictamente lingüístico, se la considera enfática.

En el **nivel sociolingüístico**, la entonación da cuenta de aspectos propios del hablante como individuo (edad, sexo, temperamento, etc.) y como miembro de una determinada comunidad (extracción sociocultural, procedencia geográfica, etc.).

1.3.4. ¿LA ENTONACIÓN ES UN FENÓMENO UNIVERSAL O LINGÜÍSTICO?

Martinet (1967: 14) considera que el lenguaje tiene una doble articulación, siendo la palabra la unidad básica de la primera, y el fonema la unidad básica de la segunda. El autor sostiene que la entonación queda al margen de esa doble articulación y que, por ende, su papel es marginal (op. cit.: 84). Que la entonación no encaje en la teoría de la doble articulación del lenguaje que propone Martinet no prueba que la entonación sea un fenómeno marginal; en todo caso, constituye un reto a dicha teoría, al parecer, incapaz de asignarle a un componente esencial del lenguaje oral un puesto acorde. Martinet ubica en un mismo nivel el componente léxico-gramatical y el fónico. Sólo así le es dado seccionar el lenguaje en palabras léxicas y, posteriormente, éstas en fonemas. Es preferible separar los niveles para su estudio: nivel léxico, semántico, morfosintáctico, pragmático, fónico, etc. En el nivel fónico sí podemos aplicar una doble articulación: una primera suprasegmental

---

[18] El *tema* es aquello sobre lo que se habla, la información conocida previamente, que tiende a colocarse hacia el principio; y que tanto puede ser un sintagma nominal como un sintagma verbal. El *rema*, por su parte, es lo que se dice sobre el tema, la nueva información, la noticia, que tiende a colocarse hacia el final.

y una segunda segmental (v. Fónagy, 1983: 14), eliminando así el riesgo de saltar de un nivel a otro.

El mero hecho de considerar la entonación como un fenómeno universal, innato, expresivo ha llevado a pensar que no es propiamente un fenómeno lingüístico y arbitrario, diferenciado en cada lengua. Gili Gaya (1950: 61), p. ej., afirma: "En la parte final del grupo fónico hay coincidencia general. Los tipos ascendentes y descendentes, con sus grados intermedios, se dan en todas las lenguas de cultura, y tienen en todas ellas el mismo valor fonológico"[19]. El propio Navarro Tomás (1944: 154) defiende la existencia de una supuesta universalidad en la entonación expresiva: "En sus rasgos esenciales dicha entonación ofrece manifestaciones análogas en todas las lenguas. Se advierte por la altura y las inflexiones de la voz la actitud emocional en que se oye conversar, discutir o disputar a otras personas, aunque no se entiendan las palabras que pronuncian". En efecto, podemos intuir la actitud de los participantes en una conversación en una lengua que nos sea desconocida. Ahora bien, queda por demostrar en qué porcentaje de casos captamos su actitud exacta. Nos consta que en ocasiones los extranjeros con nivel 0 de español creen que los españoles estamos discutiendo enfadados, cuando, sencillamente, estamos implicados en un debate cordial, aunque candente. Es más, la entonación enfática es precisamente la que más problemas plantea a, p. ej., los sinohablantes que aprenden ELE.

En conclusión, la entonación sí es un fenómeno lingüístico, si bien es cierto que también cumple determinadas funciones no estrictamente lingüísticas, como ya hemos explicado más arriba. Así, la entonación es una moneda con dos caras, una expresiva, afectiva, actitudinal y otra simbólica, lingüística, sistematizable. Cabe pensar que a partir de una entonación primitiva, motivada por condicionantes fisiológicos y psicológicos (universales), se desarrollara posteriormente en la especie humana un comportamiento entonativo de carácter cada vez más lingüístico (Navarro Tomás, 1944: 11), con peculiaridades propias en cada lengua. En suma, la entonación es un fenómeno íntegramente comunicativo, aunque no exclusivamente lingüístico.

---

[19] O bien el chino no es una lengua de cultura, o bien estas afirmaciones son erróneas (v. Cortés Moreno 1999a, 2002c).

1.3.5. ENTONACIÓN Y LENGUAJE NO VERBAL

¿Qué relación existe entre la entonación y el lenguaje no verbal?

He aquí dos componentes tan importantes como poco estudiados de la comunicación. Existen ciertos puntos en común entre la entonación y la comunicación no verbal, dos componentes **aliados** en la comunicación oral. Guaïtella (1991: 266) supone que la relación entre la entonación y el lenguaje gestual no es casual, sino que responde a una planificación conjunta del lenguaje humano. Así, el autor habla de actividad *entono-gestual* (*intono-gestuelle*), que se manifiesta en detalles como el siguiente: un gesto ascendente acompañado de una curva melódica ascendente o viceversa (op. cit.: 268). Veamos otros ejemplos: Cruttenden (1986: 183) sugiere la existencia de una correlación entre la elevación o descenso del tono y el movimiento análogo de la cabeza, Cavé et al. (1994) constatan experimentalmente la correlación entre la entonación y el movimiento de las cejas del hablante.

El vínculo establecido entre la entonación y el lenguaje gestual tiene incidencia en algunos materiales didácticos. Éste es el caso de la serie de Calbris y Montredon (1980, 1981), en la que se trabajan ambos componentes en paralelo.

1.3.6. ENTONACIÓN Y GRAMÁTICA

¿La entonación depende de la gramática?

Adoptando una postura radical, determinados lingüistas conciben la entonación como dependiente de la sintaxis. Miquel y Sans (1994, *guía del profesor*: 89) se hacen eco de esa teoría: "Los alumnos tienen que percibir cómo los cambios entonativos dependen de la sintaxis". Si la entonación estuviera supeditada a la gramática, únicamente conociendo ésta se podría discernir, p. ej., si un enunciado es declarativo, interrogativo o enfático. Sin embargo, en Cortés Moreno (1998) se constata cómo 86 oyentes, quienes escuchan un total de 48 enunciados en una lengua que no entienden en absoluto (español o chino, según el caso), captan su valor entonativo en un 56% de los casos, dato que permite cuestionar la supuesta supeditación.

Ciertamente existe una tendencia a emplear un determinado tipo de entonema con un determinado tipo de construcciones sintácticas; las estructuras sintácticas y las entonativas tienden a actuar en solidaridad (Di Cristo, 1985: 706). Ahora bien, quede claro que no se establece una relación de causa-efecto entre ambos componentes, sino que, sencillamente **cooperan** entre sí, en un plano de coordinación, no de subordinación. Veamos un ejemplo en el que la gramática y la entonación pueden alternar en el cumplimiento de una misma función. Para poner de relieve una porción del discurso, el hablante puede recurrir a la entonación, poniendo énfasis (en la palabra subrayada del ejemplo), p. ej., *Quiero hablar contigo*, o bien alterar el orden habitual de las palabras, p. ej., *Con quien quiero hablar es contigo*.

En conclusión, la entonación y la sintaxis son dos componentes **independientes**, aunque **complementarios**. Sencillamente son la intención y la actitud del hablante, así como el contenido de su mensaje, los que condicionan simultáneamente la gramática, la entonación y todos los demás componentes del lenguaje, incluido el no verbal.

1.3.7. UNIDADES DE ANÁLISIS DE LA ENTONACIÓN

¿En qué unidades se puede fragmentar el discurso para el análisis de la entonación?

Tradicionalmente, se ha tomado la **frase** como unidad superior en el análisis de la entonación, tanto en español como en otras lenguas. Ello responde a una concepción lecto-escritora de la lingüística en general, incluso en disciplinas orales por antonomasia, como son la fonética, la fonología y la entonología[20]. En una frase típica Navarro Tomás (1944: 40) diferencia dos partes o **ramas**, una **tensiva (prótasis)** y otra **distensiva (apódosis)**: "La primera, prótasis, estimula y reclama la atención; la segunda, apódosis, completa el pensamiento respondiendo al interés suscitado". Aunque desde el punto de vista fónico la rama tensiva de un enunciado declarativo difiere de la de una pregunta, desde el punto de vista semántico existen ciertas coincidencias entre ellas. En ambos casos se presenta una información incompleta, que se espera completar a continuación: con la rama distensiva en el primer caso y con la respuesta en el segundo caso (cfr. Navarro Tomás, op. cit.: 97). Ahora bien, no todas las preguntas presentan un contorno de entonación ascendente. Por ejemplo, las preguntas pronominales en español tienen típicamente un contorno descendente. Sea como sea, la noción de ramas tiene tanto o más que ver con la semántica y la pragmática que

---

[20] El término *entonología* (*intonology, intonologia*) fue acuñado en 1970 en el *Symposium on Intonology* celebrado en Praga.

con la fonología. Cada rama está constituida por uno o más **grupos fónicos** o **unidades melódicas**, unidades que, según Navarro Tomás (op. cit.: 31), en español coinciden entre sí.

El empleo alternativo de términos referidos a unidades gramaticales y de otros referidos a unidades fónicas es una práctica común entre los estudiosos de la entonación. Sólo en contadas ocasiones se emplea una terminología distinta de la gramatical y acuñada *ad hoc*, p. ej., en el caso específico de la entonología española, Cantero (1995) habla de **grupo fónico, palabra fónica, sílaba** y **segmento tonal.** Un *grupo fónico* consta de una o más *palabras fónicas.* Una *palabra fónica* es una palabra acentuada, acompañada o no de otra(s) palabra(s) inacentuada(s), p. ej., *edad, su edad, con los de su edad*; está formada, pues, por una o más *sílabas* y éstas, a su vez, están formadas por *segmentos tonales*[21].

A la lista de Cantero, añadiremos únicamente el término **entonema**[22], que ya definimos más arriba como *el correlato fonológico abstracto de un número infinito de curvas melódicas con suficientes características en común para ser interpretadas como similares por un oyente que domine la lengua en cuestión.* Conviene ahora precisar la relación entre un *grupo fónico* y su *entonema.* El *entonema o contorno entonativo* es la *curva melódica o curva entonativa* trazada en el grupo fónico. El grupo fónico, por su parte, además de ser el contenedor del contorno entonativo, es el contenedor del esquema rítmico, construido mediante patrones acentuales (Cantero, 1995). En resumidas cuentas, el grupo fónico es la unidad en la que confluyen la acentuación y la entonación. Para su estudio, el entonema puede fragmentarse en estas tres partes: *inflexión inicial, cuerpo* e *inflexión final* (Navarro Tomás, 1944)[23].

1. La **inflexión inicial** (*pre-head*), que comprende los segmentos anteriores al primer segmento acentuado o primer pico del contorno (en la primera vocal acentuada); su altura es una de las cla-

---

[21] Cada vocal consta de un segmento tonal, salvo aquéllas en las que se produce una inflexión tonal (elevación o descenso del tono), que cuentan con dos segmentos. Cantero (1995: 313) define el *segmento tonal* como "cada uno de los estadios tonales más o menos estables y claramente perceptibles, que suelen coincidir con una mora".

[22] Existe una larga lista de términos para referirse a lo que García Riverón (1996) y nosotros denominamos *entonema*: configuration, tone-group, tone-pattern, intonation group, sense-group, breath-group, tone-unit, intonational phrase, groupe de soufle, groupe rythmique, groupe d'idée, intonìa, gruppo tonale, sintagma intonativo, Intonem, intonème... No todos los conceptos designados con estos términos están ubicados, stricto sensu, en el plano entonativo. Un grupo de sentido es, en principio, una unidad semántica; un grupo conceptual (thought group) una unidad mental; un grupo espiratorio, una unidad fisiológica.

[23] La mayoría de los hispanistas siguen esta taxonomía, aunque introducen modificaciones terminológicas, p. ej., *rama inicial, cuerpo y rama final*, según Alcina y Blecua (1975: 458); *rama inicial, rama interior y rama final*, según Gili Gaya (1950: 60); *inicio, desarrollo y final*, según d'Introno et al. (1995: 132); *anacrusis, cuerpo* e *inflexión final*, según Cantero (1995).

ves para determinar si un contorno es o no es interrogativo –lo que se expresa así: /±[24] interrogativo/– y si es o no es enfático –lo que se expresa así: /± enfático/– (v. Cantero, 1995). En la declarativa los primeros segmentos no acentuados se mantienen en un nivel tonal uniforme. En cambio, en la interrogativa el tono inicial es más alto que en los enunciados declarativos y, además, se aprecia un movimiento ascendente hacia la primera sílaba acentuada.

2. El **cuerpo** (*head*), que abarca desde el primer pico hasta el segmento anterior al último acentuado; su nivel tonal es bastante uniforme en la declarativa y con un movimiento generalmente descendente en la interrogativa.

3. La **inflexión final** (*nucleus*), que parte del último segmento tónico o último pico y se extiende hasta el final del contorno. Constituye el tramo clave de la unidad melódica, esto es, la parte más informativa.

Las unidades lingüísticas más extensas que el grupo fónico, p. ej., el *párrafo oral (paratone)*, que suele corresponderse con una emisión de voz en un monólogo o en la lectura, no son propiamente fónicas, sino gramaticales, discursivas, etc.

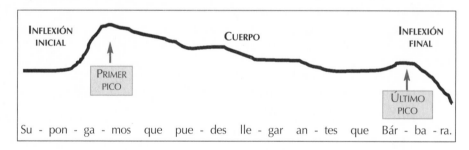

1.3.8. DESCRIPCIÓN DE LA ENTONACIÓN ESPAÑOLA

¿Cuáles son los entonemas básicos del español?

¿Cómo funciona el sistema entonativo del español?

Navarro Tomás (1944) distingue entre **entonación enunciativa, inte-**

---

[24] El signo /±/ se emplea con aquellos rasgos que en un sistema binario sirven para distinguir entre sí a dos unidades fonológicas. La presencia de dicho rasgo se expresa mediante el signo /+/, p. ej., /+ interrogativo/, y la ausencia, mediante el signo /-/, p. ej., /- interrogativo/. En estos ejemplos estamos hablando, pues, del rasgo /± interrogativo/.

rrogativa, volitiva y emocional[25]. La tipología establecida por el autor refleja una alternancia de criterios taxonómicos: semánticos –"intensificativa", "calificativa", "hipotética"...–, formales –"completa", "incompleta", "alternativa"...– y pragmáticos –"insinuativa", "invitación", "ruego"... En las descripciones también se alude con frecuencia a cuestiones no estrictamente fonológicas, sino gramaticales (p. ej., la existencia de verbos imperativos en la entonación volitiva), pragmáticas (la sorpresa, la orden, la ira...), etc. Éstas son las principales razones por las que nosotros no seguimos el modelo clásico del precursor de la entonología española y optamos por el **modelo culminativo** de Cantero (1995), el primero que emplea criterios, conceptos y parámetros exclusivamente fonológicos y que discierne con nitidez entre el componente fónico y los demás componentes del lenguaje oral. En estos términos describe el propio autor el modelo (op. cit.: 289-90): "los sonidos consonánticos se organizan alrededor de los sonidos vocálicos (formando sílabas) y éstos alrededor de las vocales tónicas para constituir las *palabras fónicas* o *grupos rítmicos* [...] Los bloques de palabras fónicas nucleados en torno a un acento sintagmático son los llamados *grupos fónicos*".

La estructura acentual y la estructura entonativa son dos facetas de una misma realidad. Veamos cómo se efectúa la **transición del fenómeno acentual al entonativo**. Cada palabra fónica posee un acento inherente, un acento de palabra fónica. Según la posición de dicho acento (primera, segunda, tercera... sílaba), se configura un esquema acentual-tonal determinado, p. ej., ascendente en *se cayó* o descendente en *dámelo*. Concatenando los esquemas acentuales de las palabras fónicas, se configura el esquema básico del grupo fónico. El último paso consiste en la asignación de un acento de grupo fónico (o *sintagmático*), donde el hablante decida. Este acento suele recaer sobre la última vocal tónica del grupo fónico. No obstante, puede dislocarse o trasladarse a cualquier otra vocal tónica del grupo fónico, siempre que el hablante desee destacar esa otra parte de su discurso.

¿Qué rasgos fonológicos permiten describir la entonación española?

Para la descripción de la entonación del español, en el modelo culminativo se emplean estos tres rasgos fonológicos: /± **interrogación**/, /± **énfasis**/ y /± **suspensión**/. Combinando tales rasgos binarios –según

---

[25] Numerosos hispanistas se basan en la tipología de Navarro Tomás: el *Esbozo* de la Real Academia (1973: 106-18), Alcina y Blecua (1975: 465-82), Garrido (1996), etc.

la presencia o ausencia de cada rasgo–, se obtiene un total de ocho *entonemas*[26], que se corresponden, respectivamente, con los signos de puntuación que figuran a la derecha:

1. /+ interrogativo, + enfático, + suspendido/   ¡¿...?!
2. /+ interrogativo, + enfático, - suspendido/   ¡¿ ?!
3. /+ interrogativo, - enfático, + suspendido/   ¿ ... ?
4. /+ interrogativo, - enfático, - suspendido/   ¿ ?
5. /- interrogativo, + enfático, + suspendido/   ¡ ... !
6. /- interrogativo, + enfático, - suspendido/   ¡ !
7. /- interrogativo, - enfático, + suspendido/   ...
8. /- interrogativo, - enfático, - suspendido/   .

¿Y cuáles son los rasgos fonéticos específicos de la entonación española?

Veamos ahora cuáles son los rasgos fonéticos específicos de la entonación española, los denominados rasgos melódicos; (1), (2) y (3) son los primarios; (4) y (5), los secundarios:

1. La **altura relativa del primer pico**[27], punto de referencia para la inflexión final.

2. La **declinación**. Una clara alteración del esquema habitual de disminución de los valores sucesivos de F_0 indica que el contorno es /+ enfático/.

3. La **inflexión final**. Por sí sola es capaz de distinguir un contorno /+ interrogativo/ de uno /- interrogativo/.

4. El **campo tonal**: los valores frecuenciales entre los que oscila la curva melódica. Una ampliación del campo tonal con frecuencia es un indicio de énfasis.

5. El **cambio de registro tonal**: desplazamiento –hacia arriba o hacia abajo– del registro habitual del hablante, alejándose de su tono normal. Este rasgo también contribuye a identificar los contornos /+ enfáticos/.

---

[26] Aunque el término que emplea Cantero es *tonemas*, nosotros seguimos hablando de *entonemas* –exactamente, con el mismo valor que sus *tonemas* -, con el fin de mantener una unidad terminológica y no crearle al lector confusiones. Por otro lado, nosotros reservamos el término *tonema* para referirnos en nuestra investigación sobre el chino moderno estándar a cada unidad fonológica de su sistema tonal: *tonema 1, tonema 2, tonema 3, tonema 4 y tonema 0.*

[27] El primer pico está en la primera vocal acentuada de la curva entonativa.

¿Qué características fonéticas tiene cada tipo de contorno entonativo?

Los contornos /+ **interrogativos**/ se caracterizan fundamentalmente por una inflexión final ascendente (elevación del tono) y los /- **interrogativos**/, por una inflexión final descendente (descenso del tono). Sin embargo, ni todas las inflexiones finales ascendentes corresponden a un contorno /+ interrogativo/ ni todas las descendentes, a uno /- interrogativo/. El porcentaje de elevación tonal entre el primero y el segundo segmento de la inflexión final es de suma importancia. Un valor inferior al 20% caracteriza un contorno /- interrogativo/ (el ascenso puede deberse al esquema acentual de la palabra fónica final, cuando ésta es aguda); del 20% al 100%, uno /+ suspendido/; y sólo a partir del 100% (lo que en el lenguaje musical corresponde a una octava), uno /+ interrogativo/. En un contorno /- interrogativo/ el primer pico o primer segmento tónico está situado en la zona media-baja del campo tonal del discurso y constituye el punto de partida de la declinación. En un contorno /+ interrogativo/ el primer pico está situado en la zona alta y no interviene en la declinación. Tengamos en cuenta que el rasgo /± interrogativo/ pertenece al nivel fonológico, mientras que la categoría de *pregunta* pertenece a los niveles gramatical y pragmático, por lo que no siempre se corresponden entre sí; p. ej., las preguntas pronominales están caracterizadas típicamente por el rasgo /- interrogativo/.

EJEMPLO DE CONTORNO INTERROGATIVO

PRIMER PICO

INFLEXIÓN FINAL ASCENDENTE

¿Tú   se   lo   has   explicado   a   tu   novio   claramente?

EJEMPLO DE CONTORNO NO INTERROGATIVO

PRIMER PICO

INFLEXIÓN FINAL DESCENDENTE

Todavía   no he decidido   qué voy a hacer   el año que viene.

Los contornos /+ **suspendidos**/ presentan un final casi llano o con una ligera elevación, que indica que el enunciado queda incompleto y que probablemente todavía no se cede el turno de palabra al interlocutor.

Los contornos /+ **enfáticos**/ presuponen una alteración de los contornos habituales /± interrogativos/. Tal alteración puede aparecer en la declinación, en el campo tonal, en el registro tonal, en el primer pico o en la inflexión final (cfr. Cantero, 1995: 460-8). Asimismo, se dan alteraciones no melódicas: acentuales, rítmicas o de intensidad. Los múltiples matices del énfasis (euforia, aflicción, amenaza, mandato, etc.), de carácter asistemático, no forman parte del sistema fonológico, sino que son propios del ámbito de la entonación paralingüística. Claro que tales matices también cumplen una función comunicativa.

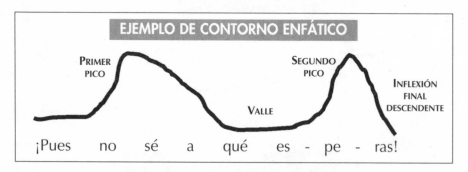

Recordemos, por último, que los grupos fónicos, cada uno con su contorno, suelen combinarse formando enunciados; y éstos, discursos –diálogos o monólogos-. En una emisión compuesta por varios contornos, habitualmente es el último el que caracteriza la emisión en su conjunto, p. ej., varios contornos /- interrogativos/ y un contorno final / + interrogativo/ darán como resultado una emisión /+interrogativa/.

ACTIVIDADES

1. ¿Qué relación y qué diferencia existe entre la prosodia y la fonemática?

2. ¿Podría explicar de forma sencilla cómo se produce el sonido en el aparato fonador humano?

3. ¿Sabría relacionar cada término de la columna de la izquierda con su correlato acústico de la columna del centro y con los adjetivos de la columna de la derecha?

Concepto auditivo	Concepto acústico	Adjetivos	
1. tono	a. amplitud	I. agudo	VI. breve
2. timbre	b. cantidad	II. fuerte	VII. grave
3. intensidad	c. frecuencia fundamental	III. nasalizado	VIII. alto
		IV. flojo	IX. largo
4. duración	d. armónicos	V. ronco	X. bajo

4. ¿Qué diferencia existe entre *isocronía acentual* e *isocronía silábica*? ¿Alguna de ellas se da en español?

5. ¿Qué significa que la acentuación y la entonación son fenómenos suprasegmentales?

6. ¿Qué funciones desempeña la acentuación en español?

7. ¿Cómo diferencia el oyente una sílaba acentuada de otra inacentuada?

8. Por favor, ordene de menor a mayor los siguientes conceptos: *segmento tonal, grupo fónico, sílaba* y *palabra fónica*. ¿Podría explicar qué es cada uno?

9. ¿Cómo se efectúa la transición entre la acentuación y la entonación en español?

10. Para la descripción de la entonación del español, basta con estos tres rasgos fonológicos:

1.- /± interrogación/, 2.- /±...................../ y 3.- /±...................../.

ADQUISICIÓN DE LA PROSODIA

2.1. Punto de partida: el caso de la L1

Cuestiones clave

- ¿Cómo aprendemos a pronunciar en nuestra lengua nativa[28]?
- ¿Cómo aprendemos a acentuar en nuestra lengua nativa?
- ¿Cómo aprendemos a entonar en nuestra lengua nativa?

¿Cómo aprendemos a pronunciar en nuestra lengua nativa?

El método básico que emplea el niño en la adquisición de la pronunciación en su lengua nativa (L1) es la **imitación** de sus interlocutores: madre, padre, hermanos, abuelos... Ahora bien, la repetición del niño no es indiscriminada o sistemática (como la de una máquina), sino selectiva: el niño se fija en aquellos aspectos propios de su etapa de desarrollo lingüístico. No basta con que el niño oiga hablar su lengua nativa (p. ej., en la radio o en la televisión). Para aprenderla, es preciso que hable con otros miembros de su comunidad lingüística, quienes (contrariamente a esos aparatos) le piden y le ofrecen aclaraciones o reajustes lingüísticos (Lightbown y Spada, 1993: 14). Este tipo de negociación y de retroalimentación (*feedback*) constituye un valioso instrumento para el progreso lingüístico tanto en la L1 como en una LE. Por ello, las fuentes impersonales de lengua –casete, vídeo, ordenador...– en modo alguno pueden ser sustitutos de los nativos, aunque, eso sí, son ventajosos complementos en el aprendizaje de una lengua.

Tanto el discurso dirigido a los nativos de corta edad (*baby talk*) como el dirigido a los extranjeros (*foreigner talk*) se caracterizan por una serie de **modificaciones**, cuyo objetivo común es facilitar la comu-

---

[28] En esta obra empleamos el término *lengua nativa* para referirnos a la primera lengua (L1) que aprende un ser humano y que comúnmente se conoce como *lengua materna*.

nicación con los interlocutores. He aquí algunos de los aspectos modificados en el ámbito fónico (v. Larsen-Freeman y Long, 1991):

- esmero en la articulación y vocalización,
- ralentización del tempo de elocución (habla más lenta),
- pausas más abundantes y más largas,
- acentos más marcados,
- exageración en las curvas de entonación,
- un registro más alto, es decir, una voz más aguda.

¿Cómo aprendemos el sistema de acentuación en nuestra lengua nativa?

Probablemente, lo que aprendemos de niños no es la posición del acento en cada palabra, sino más bien una serie de **reglas**. Claro que ese proceso debe partir de datos concretos, es decir, precisamos escuchar un número suficiente de palabras para ir descubriendo analogías, generalizar, formular hipótesis, confirmarlas, desecharlas, reformularlas, etc. El primer paso es detectar la vocal prominente (acentuada) en cada palabra fónica, o sea, discriminar entre sílabas acentuadas e inacentuadas. Aproximadamente a la edad de tres años los hispanohablantes nativos ya hemos adquirido las reglas de acentuación en nuestra L1 (cfr. Hochberg, 1988).

¿Cómo aprendemos el sistema de entonación en nuestra lengua nativa?

Por lo general, se estima que la adquisición de la prosodia es previa a la de los sonidos, es decir, que la prosodia es el primer componente lingüístico que adquirimos en nuestra L1. Ello parece lógico, habida cuenta de que la entonación desempeña un papel primordial en la comunicación: contribuye de forma decisiva a la fragmentación del discurso en unidades semánticas menores, con el fin de facilitarle al receptor el procesamiento del mensaje. No obstante, al hablar de adquisición, conviene puntualizar si se trata de capacidad de producción o sólo de percepción, si la adquisición de un aspecto determinado ya se ha completado o sólo han aparecido los primeros indicios, etc. Es cierto que a una edad temprana los niños ya tienen un cierto dominio de los entonemas de su L1 (las formas lingüísticas), pero para la adquisición de la amplia gama de funciones asociadas a ellos son precisos varios años más (v. Cruttenden, 1986: 173).

La razón de que los múltiples aspectos de la entonación se vayan adquiriendo progresivamente es lógica: el fenómeno de la entonación viene determinado por factores lingüísticos, paralingüísticos, pragmáticos... Por supuesto, un niño de tres o cuatro años ya sabe enunciar, preguntar y exclamar. Sin embargo, estas funciones básicas de la entonación se implementan de modo distinto, según la situación de habla (una fiesta familiar, una reunión profesional, una conferencia, etc.). Existen funciones lingüísticas que, de ordinario, un niño no cumple (p. ej., reservar una habitación de hotel), actos de habla en los que no participa (p. ej., preguntar las tarifas de cada temporada) y relaciones que no experimenta (p. ej., recepcionista - cliente). Debido a los ámbitos comunicativos limitados en que el joven hablante se desenvuelve, todavía no tiene ocasión de practicar determinados contornos entonativos (p. ej., de cortesía).

Ciñéndonos al caso de la entonación española, y basándonos el experimento de Cortés Moreno (2001c), sostenemos que la entonación no es un fenómeno lingüístico fácil y rápido de adquirir en la L1. Admitimos que su adquisición se inicie a una edad temprana (menos de un año), pero en el experimento mencionado se constata que la capacidad de percibir la entonación en la L1 sigue progresando (completándose) incluso después de los veinte años de edad. Así, no es de extrañar que sea uno de los componentes que mayores dificultades le plantean al adulto en el aprendizaje de una LE.

En suma, conviene revisar la hipótesis de que los niños adquieren a una edad temprana y con suma facilidad los fenómenos suprasegmentales. No todas las afirmaciones en este sentido están basadas en datos empíricos; en varios casos se fundamentan en observaciones impresionistas de un único informante.

2.2. Diferencias entre niños y adultos en la adquisición fónica

Cuestiones clave

- ¿Es verdad que los niños tienen más facilidad que los adultos para aprender los distintos sonidos de una LE?
- ¿Y para aprender la acentuación y la entonación de la LE?

Generalmente, se acepta que existe un **período crítico** para la adquisición del componente fónico en la LE, aunque la edad en que concluye dicho período es objeto de discrepancias. Uno de los pilares en que se sustenta la hipótesis del *período crítico* (o *sensible*) es el concepto de la lateralización cerebral (Lenneberg, 1967). Aquí no vamos a entrar en los pormenores ni en polémicas al respecto, basta con señalar el diferente procesamiento de que es objeto el lenguaje adquirido en los primeros años de la vida y después de una cierta edad. Para ello nos remitimos al estudio de Kim et al. (1997), quienes, sirviéndose del sistema de conversión de resonancias magnéticas en imágenes (*magnetic resonance imaging*), determinan el espacio físico que ocupan en la corteza cerebral la L_1 y la L_2 en una serie de bilingües (de diferente L_1 y L_2 en cada caso). Los resultados muestran que en los bilingües precoces (quienes han aprendido ambas lenguas en la infancia) las dos lenguas comparten prácticamente el mismo espacio en el área de Broca (lóbulo frontal), mientras que en los bilingües tardíos (quienes han aprendido la L_2 después de la infancia) cada lengua ocupa un espacio diferenciado, con una zona mínima de solapamiento. Sin embargo, en el área de Wernicke (lóbulo temporal) no se observa ninguna diferencia significativa entre ambos tipos de bilingües: una única zona compartida por las dos lenguas.

Por regla general, cuando los adultos aprenden una LE, son incapaces de desprenderse de determinados rasgos fónicos de la L_1, causa del **acento extranjero**. Ahora bien, es probable que ello no se deba exclusivamente a factores fisiológicos (lateralización cerebral, merma de la capacidad sensorio-motriz, etc.), sino también a otros factores, tales como la motivación por el aprendizaje de la LE, la voluntad de integración en la otra comunidad lingüística (la de la LE en cuestión), el tiempo disponible para la práctica y/o el estudio de la LE, el tipo de interlocutores nativos dispuestos a cooperar con ellos en el aprendizaje, etc.

Los niños suelen tomar sin prejuicios el habla en la LE, interpretando las unidades fónicas de un modo similar a como lo hacen en la L_1. Los adultos, por el contrario, tienden a basarse en el sistema fónico (incluida la prosodia) de la L_1, es decir, emplean el sistema de la L_1 como una **criba**[29], por donde filtran el habla de la LE. Así, deben aprender nuevos rasgos fónicos, desaprender algunos rasgos propios de la L_1 y reajustar otros rasgos existentes en ambas lenguas pero emplea-

---

[29] La teoría de la criba fonológica la plantea Trubetzkoy (1958: 47).

dos de forma distinta. También es importante tener en cuenta que muchos de los adultos que aprenden una LE ya saben leer y escribir en la L1, mientras que los niños pequeños todavía no han tenido tiempo de desarrollar esa capacidad. En principio, cuanto más leído sea el alumno (sea adulto, sea niño), tanto más posible es que se produzcan interferencias lecto-escritoras. A pesar de todo, los adultos también pueden lograr una buena pronunciación en la LE, siempre y cuando la enseñanza fónica se inicie a su debido tiempo, siempre y cuando los métodos sean lo suficientemente flexibles como para amoldarse a los múltiples estilos cognitivos de los alumnos (v. Elliott, 1997: 95).

Una de las diferencias clave entre el niño y el adulto en la adquisición de la entonación es la siguiente. El niño oye su propia voz igual que la oyen las demás personas. En cambio, la voz del adulto es bastante más grave, lo que da lugar a unas **resonancias** en los huesos que hacen que el adulto perciba su propia voz distorsionada. Ello le dificulta comparar su producción oral con la que oye de los nativos. Luego, si no puede percibir claramente las diferencias, también le resultará difícil detectar sus errores (v. Iruela, 1997: 33).

Centrándonos en el caso específico de la prosodia española, en Cortés Moreno (1999a) se comprueba cómo también después de la pubertad, los sinohablantes mejoran su competencia acentual y entonativa en ELE. Recapitulando, la hipótesis del período sensible es verosímil, pero no puede aplicarse indiscriminadamente a cualquier estudiante adulto de una LE.

2.3. ¿La entonación es un componente más de la lengua?

Cuestiones clave

- ¿Por qué muchos extranjeros que han alcanzado un nivel excelente de gramática, léxico, etc., en español, no se desprenden de su acento extranjero?
- ¿En el cerebro se procesan juntos los sonidos, los acentos y los contornos entonativos?
- ¿Cómo reaccionan los nativos ante los errores de entonación de los extranjeros?

¿Qué tiene la entonación que la hace tan especial en el aprendizaje de una LE?

Cada individuo tiene su propio idiolecto en su L1. Ese modo personal de hablar forma parte de su propia identidad, que va ligada a la de una colectividad, la de su propia L1. Salvo en contadas ocasiones, quienes aprenden una LE conservan, en mayor o menor medida, rasgos fónicos –segmentales y suprasegmentales– característicos de la L1, aun cuando sean capaces de alcanzar un nivel supremo en otros niveles de la LE (léxico, gramatical, estilístico, pragmático, etc.). Podría decirse que la pronunciación es el componente más **íntimo** de la identidad lingüística.

Y de entre los subcomponentes de la pronunciación, probablemente sea la entonación el más *íntimo*, dada la estrecha relación existente entre el componente entonativo y el afectivo. Y es que la entonación revela una información sumamente personal: actitud, estado de ánimo, sentimientos, emociones... Tanto es así, que para la mayoría de los estudiantes la adopción de los hábitos prosódicos de la LE supondría prácticamente la renuncia a la propia identidad. Al respecto, comenta Navarro Tomás (1944: 8-9), refiriéndose concretamente a los alumnos de ELE: "Hay personas particularmente reacias a aprender cualquier acento [...] se oponen con tenaz resistencia a imitar inflexiones de entonación a las que no están acostumbradas [...] El pudor de desnudarse de los hábitos de la lengua extranjera tiene en la entonación su más fuerte reducto".

¿En el cerebro se procesan juntos los sonidos, los acentos y los contornos entonativos?

Desde una **perspectiva fisiológica y neurobiológica**, también parece justificable considerar la entonación como un aspecto especial. Generalmente (90-95% de las personas), los centros del habla se hallan ubicados en el hemisferio cerebral izquierdo[30] –que opera en sentido analítico y lineal–; no obstante, el hemisferio derecho –que opera en sentido sintético y en paralelo– también interviene en el procesamiento del habla. La acentuación se reconoce y se produce preponderantemente en el hemisferio izquierdo (Baum, 1998), pero la entonación (al

---

[30] Provins (1997: 565) explica: las destrezas motoras básicas y el lenguaje se desarrollan en paralelo durante la infancia; si al niño se le enseña a manipular con la mano derecha, "asociada con lo correcto en el pensamiento primitivo", las destrezas motoras y el lenguaje se procesarán en el hemisferio izquierdo.

igual que las relaciones espaciales, el movimiento, el color, la música y las emociones) se procesa en el hemisferio derecho (cfr. Taylor, 1993: 91). Siendo, pues, que los distintos tipos de información fónica –segmental, acentual, entonativa, etc.– son objeto de un procesamiento por separado (cfr. Frazier, 1995: 20), sólo la coordinación de ambos hemisferios permite que podamos codificar y descodificar mensajes orales. En consecuencia, la enseñanza ideal es aquélla que va dirigida a ambos hemisferios, explotando tanto los recursos verbales como los no verbales. Así explica la cuestión Gilbert (1978: 309): "Dado que la pronunciación es, en esencia, una tarea espacial –y melódica, en el caso de la entonación–, quizá las explicaciones verbales no vayan dirigidas al hemisferio oportuno [...] el soporte visual y musical no debe entenderse como un complemento decorativo, sino como un instrumento didáctico primordial".

Blumstein (1995: 351) señala otra diferencia sustancial entre el componente prosódico y el segmental: en los casos de afasia, la acentuación y la entonación de los pacientes quedan notablemente menos afectados que los sonidos de la lengua.

Por otra parte, la entonación (más en concreto, la F_0) se manifiesta en una banda de frecuencias bajas (generalmente por debajo de los 300 Hz). Es precisamente a las bajas frecuencias a las que el cuerpo humano es más sensible (cfr. Vuletic´ y Cureau, 1976: 41, 89). Así, la entonación la percibimos no sólo por **vía aérea** (por fuera), sino también en buena medida por **vía ósea** (por dentro): otra diferencia clave con respecto de los sonidos de la lengua.

¿Cómo reaccionan los nativos ante los errores de entonación de los extranjeros?

Va quedando claro que la entonación no es un componente más en la adquisición de una LE, como tampoco lo es desde el punto de vista del nativo que conversa con un extranjero. Por regla general, los hispanohablantes somos comprensivos con las faltas de léxico, de gramática, de pronunciación de los segmentos o de posición del acento que cometen los extranjeros cuando hablan nuestra lengua: nos hacemos cargo de las dificultades que deben afrontar y del esfuerzo que deben realizar para superarlas. Por el contrario, tendemos a ser **intransigentes** en el ámbito de la entonación. Ello tiene graves consecuencias: no pocas veces, incluso quienes tratamos con extranjeros a diario, tomamos una falta de entonación por una falta de educación. En efecto, con frecuencia olvidamos que la entonación es también un componente lingüístico (de suma complejidad), que el extranjero necesita aprender, como también aprende las conjugaciones verbales, el significado y la pronunciación de cada palabra, etc. Sólo si recordamos este punto, repararemos en que probablemente nuestro interlocutor no tiene mala intención, sino mala entonación, y su supuesta falta de educación probablemente no sea más que una falta de entonación.

2.4. Adquisición de la prosodia en el marco del análisis contrastivo

Cuestiones clave

- ¿Qué aporta el Análisis Contrastivo a la enseñanza de la LE?
- ¿Qué vigencia tiene hoy en día un modelo de hace más de medio siglo?

Tres teorías relevantes en el ámbito de la didáctica de la LE son: (1) el Análisis Contrastivo, centrado en la transferencia de la L1 a la LE; (2) el Análisis de Errores, que también tiene en cuenta los mecanismos intralingüísticos –sobregeneralización, simplificación, etc.– y (3) la Hipótesis de la Interlengua, que compagina las dos teorías anteriores.

Un Análisis Contrastivo (AC) consiste en una **descripción** de la L1 y de la LE y una **comparación** entre ambas. Desde la publicación en 1945 de *Teaching and Learning English as a Foreign Language* de Fries, se viene teniendo muy en cuenta el papel que la L1 desempeña en la enseñanza/aprendizaje de la LE. *Linguistics across Cultures* de Lado (1957) marca el comienzo de una nueva etapa en el AC, que madura en los años 60 y se presenta como un modelo prometedor tanto para la lingüística teórica como para la lingüística aplicada a la enseñanza de lenguas segundas o extranjeras.

Mas no tarda en surgir el desencanto, al constatar que el modelo sólo es capaz de predecir y dar cuenta de una fracción de los errores en la adquisición de una LE: la panacea no es tal. El porcentaje de errores originados por la interferencia varía de unos estudios a otros; por ejemplo, Richards (1971) cuantifican la proporción de errores de origen interlingüístico (por interferencia de la L1) en algo más del 50% y la de los de origen intralingüístico (o *de desarrollo*[31], análogos a los de un nativo en la adquisición de su L1), alrededor del 30%. Como es lógico, el porcentaje de errores debidos a la interferencia de la L1 va disminuyendo conforme va mejorando el nivel de LE de los estudiantes. Es asimismo posible que determinados errores sean el fruto de una interacción entre un proceso intralingüístico y otro interlingüístico. (Para un estudio riguroso y exhaustivo sobre este tema, v. la obra de Fernández, 1997.) De que el AC por sí solo no es capaz de predecir todos los errores en la adquisición de una LE ya es consciente el propio Lado (1957: 72): "La lista de problemas resultante de la comparación entre la LE y la L1 [...] debe considerarse una lista de **problemas hipotéticos**, en tanto no se confirme su existencia en el habla de los alumnos". Lo que se predice con el AC, pues, son sólo errores potenciales. Lógicamente, los alumnos, los profesores, los diseñadores de materiales didácticos... reaccionan e intentan remediarlos. Únicamente cuando no se logra evitarlos, a pesar del empeño puesto por todos ellos, es cuando salen a flote los errores reales. Entonces, para descubrir los errores reales de percepción y producción, no basta con formular hipótesis; es preciso llevar a cabo análisis del habla de los alumnos, ya sea de una manera informal, o bien mediante experimentos[32].

Si bien el AC nace en el marco del estructuralismo y del conductismo, posteriormente se concibe otros modelos (Santos, 1993: 46-51): AC generativo, AC psicolingüístico y AC mixto. El AC puede implementarse en **varios niveles**: fonológico, gramatical (morfología y sintaxis), léxico, sociolingüístico, sociocultural, etc. Es precisamente en el nivel fónico donde las predicciones del AC resultan más efectivas. En cualquier caso, no basta con estudiar las formas lingüísticas; es preciso, además, tener en cuenta el significado, la función y el valor pragmático de las formas en cuestión. Aquí nos ceñiremos, claro está, al ámbito de la fonología contrastiva[33]. El **análisis fonológico contrastivo** proporciona una información valiosa sobre las dificultades potenciales con que se enfrentará un grupo de estudiantes con una L1 y una LE específicas (v., p. ej., Cortés Moreno, 1992, 2002c, 2002d). Además de su utilidad teórica, esa información es idónea para la elaboración de **materiales didácticos**. Los AACC realizados en el ámbito fónico se han centrado

---

[31] Aunque Richards aborda por separado los errores intralingüísticos (*intralingual*) y los de desarrollo (*developmental*), aquí prescindimos de tal distinción.
[32] Ejemplos: Cortés Moreno (1998, 1999b, 2000b, 2001b, 2001c).
[33] Nacida en Estados Unidos en el *Center of Applied Linguistics*.

mayormente en los aspectos segmentales, pero un AC completo también debe dar cuenta de los aspectos suprasegmentales. Por otra parte, la labor de la fonética contrastiva tarda tiempo en verse plasmada en los métodos de enseñanza y en los materiales didácticos.

Centrándonos en el caso concreto de la didáctica de la entonación del ELE, García Riverón (1996: 69) aboga por el AC: "Por las **implicaciones prácticas** que tiene para la enseñanza del ELE, es imperiosa la necesidad de comenzar el estudio comparativo con otras lenguas". De hecho, ya se han dado los primeros pasos[34]. Veamos, a modo de ejemplo, el cuadro de Mills (1969: 257), en el que se compara el inglés y el español. Los números que aparecen en la columna "patrón" corresponden a la altura tonal, algo así como un pentagrama o, más apropiadamente, un tetragrama, en el que "1" representa el tono más bajo o grave y "4", el tono más alto o agudo. Con las flechas se relacionan los patrones de entonación que coinciden formalmente, pero que están dotados de un valor comunicativo distinto en una y otra lengua.

INGLÉS			ESPAÑOL
Descripción del patrón y ejemplo	patrón	patrón	Descripción del patrón y ejemplo
Enfado, desinterés WHAT'S THE MATTER? (¿Qué pasa?)	211		
Enunciado declarativo I'M FROM MONTEVIDEO.	231	211	Enunciado declarativo SOY DE MONTEVIDEO.
Enunciado enfático (NO, I'M NOT FROM RÍO.) I'M FROM MONTEVIDEO.	241	231	Enunciado enfático (NO, NO SOY DE RÍO.) SOY DE MONTEVIDEO.
Preguntas absolutas WERE THERE MANY?	233	222	Preguntas absolutas ¿HABÍA MUCHOS?
Modificadores de frase YES, THANK YOU.	222	111	Modificadores de frase SÍ, MUCHAS GRACIAS.
Descortesía YES, SIR. (Sí, señor.)	111		

Comparación de la entonación inglesa y la española (adaptado de Mills, 1969).

[34] Ejemplos: Mills (1969), español e inglés; Saussol (1983), español e italiano; Cantero (1988), español y nueve lenguas; Quilis (1988), español y portugués; Cortés Moreno (1998, 1999a, 1999b, 2000b, 2001b, 2001c) español y chino.

De ordinario, se estima que los puntos de **coincidencia** entre la L1 y la LE no causan tantas dificultades como los puntos de **divergencia**, pero la realidad es que ni los elementos diferentes son invariablemente difíciles ni los elementos parecidos son invariablemente fáciles de aprender. Un ejemplo de este segundo caso lo tenemos en la proximidad en chino y en español del entonema típico de la entonación declarativa. Probablemente sea esa proximidad la que induce a los sinohablantes a transferir de su L1 al ELE: una transferencia negativa en la producción, pero positiva en la percepción.

2.5. Adquisición de la prosodia en el marco del análisis de errores

> **Cuestiones clave**
>
> - ¿Qué aporta el Análisis de Errores a la enseñanza de la LE?
> - ¿El Análisis de Errores es una reacción al Análisis Contrastivo? ¿Son dos modelos incompatibles?

A diferencia del AC, en el Análisis de Errores (AE) no se analizan dos lenguas (L1 y LE) en paralelo, sino sólo la LE. La hipótesis vertebral del AE es que existe una estrecha correlación entre la proporción de errores en un aspecto determinado y la dificultad en el aprendizaje de dicho aspecto. En consonancia con ese principio, el modo de proceder es: **recopilación** y **clasificación** sistemática de errores, con los que determinar el grado de **dificultad** de cada aspecto. En realidad, el AE se concibe inicialmente en Estados Unidos entre 1915 y 1933 para la didáctica de la L1. A finales de los años 60 se aplica a la didáctica de la LE, como un intento de subsanar las limitaciones del AC. El AE no rechaza taxativamente el AC. El propio Richards (1971: 214) admite el valor de este modelo aplicado a la didáctica de la LE, habida cuenta de que la interferencia de la L1 es "una fuente primordial de dificultades".

Uno de los cambios más significativos en esta etapa es la concepción del **error** no como un fenómeno indeseable, sino como una señal de que el proceso de adquisición de la LE está en marcha, un indicio de que el extranjero está poniendo a prueba sus hipótesis sobre la lengua que está aprendiendo. Si bien en la etapa inicial el AE se limita a la competencia lingüística, posteriormente amplía su marco de acción al conjunto de la competencia comunicativa (v. Santos, 1993: 99).

Probablemente, una de las **limitaciones** más patentes tanto del AE como del AC sea no poder dar cuenta de los procesos positivos –sino sólo de los negativos– de los estudiantes. En efecto, ninguno de ellos es capaz de ofrecer una imagen de conjunto completa. Para ello sería necesario un tipo de análisis complementario, realizado desde una óptica opuesta, un *Análisis de Aciertos*, por así decirlo. Claro que, desde el punto de vista didáctico, las producciones correctas no son en absoluto preocupantes, sino todo lo contrario. Quizá por ello hayan resultado menos atractivas para los estudiosos de la adquisición del lenguaje (L1 o LE). Por otra parte, quizá sean más difíciles de explicar que los propios errores. En Cortés Moreno (1999a) sí se aborda el proceso de adquisición desde las dos perspectivas complementarias, p. ej., se analiza tanto los errores como los aciertos de los extranjeros. Asimismo, se tiene en cuenta la transferencia positiva, no sólo la negativa.

2.6. Adquisición de la prosodia en el marco de la interlengua

Cuestiones clave

- ¿Qué aporta el concepto de interlengua a la enseñanza de la LE?
- ¿Qué papel se atribuye a los errores en el marco de la interlengua?

El término **interlengua** (*interlanguage*) lo acuña Selinker (1969) para referirse a un sistema lingüístico estructurado y organizado, propio de una etapa determinada en el aprendizaje de una LE; es un *idiolecto natural en una LE*, la versión particular y provisional que de la LE tiene el alumno, "un sistema intermedio entre la lengua nativa y la lengua meta; de ahí el término *inter*lengua" (Corder, 1992: 21). En la configuración de la interlengua intervienen, principalmente, la transferencia de la L1, errores de aprendizaje (esporádicamente, también errores de enseñanza), estrategias de aprendizaje, de comunicación y de sobregeneralización.

Major (1987) propone un modelo de adquisición fónica –*ontogeny model*– que atiende tanto a los procesos de interferencia como a los de desarrollo. La hipótesis del autor (op. cit.: 102) es que en la **etapa inicial** de adquisición fónica de una LE los procesos de interferencia son mucho más frecuentes que los de desarrollo. A medida que avanza el aprendizaje de la LE, van disminuyendo paulatinamente los procesos de interferencia; los de desarrollo, en cambio, alcanzan un grado de máxima frecuencia en las **etapas intermedias** y a partir de ahí van disminuyendo.

Los alumnos adquieren un elemento de la LE sólo cuando su interlengua ha alcanzado el nivel de **madurez** suficiente para asimilar el elemento en cuestión. La instrucción formal facilita y acelera la maduración, pero no parece que pueda alterar el orden natural de adquisición (cfr. Archibald, 1993: 154). Los resultados de Cortés Moreno (1998), un experimento realizado en un contexto mixto (natural + formal) de aprendizaje, y de Cortés Moreno (2000b), otro experimento realizado en un contexto formal de aprendizaje, corroboran esta hipótesis y nos permiten establecer unas **etapas de desarrollo** acentual y entonativo en ELE.

En el marco de la Interlengua los **errores** no son considerados como *horrores*, sino como un indicador de la etapa en que se halla en un momento dado el alumno en su camino de aprendizaje. En cualquiera de las etapas o interlenguas por las que va pasando, el alumno tiene en su mente unos esquemas de conocimiento y una serie de reglas con las que opera en la LE. Ciertamente, esos esquemas y esas reglas difieren de las que tienen los hablantes nativos de la LE en cuestión. Es por ello que las producciones lingüísticas del alumno, por el momento, son distintas de las de los hablantes nativos. La postura tradicional ha sido considerar esas producciones distintas como un fenómeno negativo e indeseable. En el marco teórico de la Interlengua, sin embargo, se aborda la cuestión desde el lado positivo. Cometer errores demuestra que el alumno está formulando hipótesis (aunque a veces éstas no sean acertadas) y se está esforzando por aprender, arriesgándose más allá de sus conocimientos actuales, es decir, más allá de su interlengua actual. De ese modo es como podrá llegar a una etapa superior (interlengua + 1) y después a otra (interlengua + 2) y así sucesivamente, aproximándose cada vez más a un buen dominio de la LE. Si se admite que esas etapas son necesarias, entonces, no queda más remedio que aceptar los errores como un fenómeno natural en el proceso de aprendizaje de la LE (v. Fernández, 2000: 135). En efecto, como docentes y como discentes de una LE, aprendemos a aceptarlos, lo que no significa que nos despreocupemos de ellos. Es cierto que *errare humanum est*. Ahora bien, no es menos humano y natural el instinto del alumno de autosuperación y autocorrección, así como el esfuerzo del profesor y del elaborador de materiales didácticos por ocuparnos de ellos cuando sea preciso, con el fin de ayudar al alumno a ir superando una a una sus etapas de interlengua.

2.7. Transferencia prosódica de la L1 a la LE

Cuestiones clave

- **¿Por qué aparecen en el habla de los extranjeros en ELE rasgos fónicos de su L1?**
- **¿La transferencia prosódica de la L1 a la LE siempre es negativa?**

Lado (1957: 2) caracteriza la transferencia en estos términos: "los individuos tienden a transferir de su lengua y cultura nativas a la lengua y cultura extranjeras las formas y los significados, así como la distribución de aquéllas y de éstos, tanto en la producción, al intentar hablar la lengua y actuar en la cultura, como en la percepción, al intentar captar y entender la lengua y la cultura". En efecto, en el aprendizaje de una LE, el individuo intenta relacionar la nueva información con sus conocimientos previos y, así, facilitarse la tarea. El objetivo de esta estrategia de comunicación y de aprendizaje es **compensar las limitaciones** conceptuales o procesales en la LE.

Con el ánimo de evitar las connotaciones conductistas de los tradicionales **términos** de *transferencia*[35] y sobre todo de *interferencia*, algu-

---

[35] Tras la avalancha de críticas -durante la década de los 70- contra la hipótesis de la transferencia, llega una nueva etapa de sosiego -a partir de los 80-, en la que se somete a revisión el fenómeno. En estos últimos años sigue considerándose (p. ej., Ellis, 1994: 29) que la transferencia es un fenómeno primordial en el proceso de adquisición de una LE.

nos autores sugieren alternativas, p. ej., Corder (1992: 9) propone *influencia de la lengua nativa (mother tongue influence)*, pero el concepto permanece inalterado. Aquí empleamos como sinónimos *interferencia* y *transferencia negativa*, que distinguimos de *transferencia positiva* (facilitadora).

La transferencia de la L1 a la LE se da en todos los niveles de la comunicación, pero sobre todo en el nivel fónico, tanto en la vertiente perceptiva como en la productiva (v. Cortés Moreno, 2001d). Al estudiar el concepto de **interferencia fónica**, la lingüística se interesa por los sistemas fónicos de la L1 y de la LE. En psicología el planteamiento es complementario: p. ej., se distingue entre *interferencia retroactiva* y *proactiva*, entre material de aprendizaje *original* y *ulterior* o entre estructuras de aprendizaje *convergentes* y *divergentes* (Brière, 1968: 11). Baste con un ejemplo de estructuras de aprendizaje convergentes: un sinohablante que aprende ELE debe asimilar que las variaciones tonales en el seno de una palabra no conllevan, salvo en casos minoritarios (p. ej., busque - busqué) un cambio semántico-gramatical. En nuestros propios experimentos y observaciones informales hemos comprobado cómo la transferencia –positiva y negativa– es una realidad en el proceso de adquisición de la acentuación y de la entonación españolas por parte de extranjeros.

Numerosos autores aluden a la **transferencia de patrones acentuales y/o entonativos** de la L1 de los estudiantes a la LE. A modo de ejemplo, citamos a Navarro Tomás (1944: 58): "Oyendo hablar esta lengua a extranjeros de los idiomas indicados [francés, italiano e inglés], se observa, en efecto, que la inflexión con que terminan las frases enunciativas es de ordinario más corta y menos grave que la que en castellano se acostumbra". Un problema importante de las alteraciones prosódicas es que dificultan la inteligibilidad de la producción oral. No menos inquietante, una vez asegurada la inteligibilidad, es que el hablante extranjero puede crear situaciones embarazosas o incluso llegar a ofender involuntariamente a su interlocutor, por el mero hecho de emplear un entonema asociado a una actitud distinta en la L1 y en la LE, tras haber establecido una falsa y arriesgada ecuación entre identidad de formas e identidad de funciones en una y otra lengua (v. el cuadro de Mills en el apartado 2.4.).

2.8. Acento extranjero e inteligibilidad

- ¿A qué se debe exactamente el acento extranjero?
- ¿Qué inconvenientes plantea? ¿Supone alguna ventaja?

¿En qué consiste el acento extranjero?

Los fenómenos prosódicos contribuyen de un modo decisivo a la **caracterización** del acento extranjero (Cantero, 1994). Incluso es decisiva la prosodia en la caracterización de las variantes dialectales de los propios nativos. Los segmentos también desempeñan un papel relevante en la configuración del acento extranjero: bien sabemos que muchos extranjeros que aprenden español tienen dificultades para producir, o incluso para percibir, algunos sonidos inexistentes en su L1, p. ej., [r], [θ], [λ], [x], etc. En esos casos tienden a reemplazarlos por otros sonidos más o menos parecidos de su L1 (o incluso de otra LE que sepan, v. Cortés Moreno, 2002c). En suma, el acento extranjero viene condicionado tanto por la **interferencia segmental** como por la **suprasegmental** de la L1 en la LE y podemos definirlo como el *conjunto de rasgos fónicos interlingüísticos que se alejan de la LE, al tiempo que se aproximan a la L1.*

El acento extranjero viene determinado por una serie de **factores** de diversa índole: **biológicos** (p. ej., edad), **socioculturales** (p. ej., identificación con la comunidad de la L1 y/o de la LE), **de personalidad** (p. ej., extraversión, introversión), la L1, etc. (cfr. Avery y Ehrlich, 1992: XIII-XVI). Es un fenómeno perfectamente comprensible y aceptable; no tiene por qué ser motivo de inquietud, a menos que imposibilite la inteligibilidad y, por ende, la comunicación. Tan natural es que un lusohablante tenga acento portugués en español como que un salmantino hable español con su acento salmantino. Hablar una LE con el mismo grado de fluidez, corrección y complejidad que un nativo y sin acento extranjero es, por lo general, una meta utópica y a la que, de hecho, sólo una minoría aspira. El profesor puede animar al alumno a progresar en esa dirección, pero sin esperar resultados milagrosos. En Cortés Moreno (1998) se constata cómo unos extranjeros con nivel casi nativo de español siguen teniendo ciertas dificultades en la percepción de la entonación española.

¿Qué inconvenientes plantea un acento extranjero? ¿Supone alguna ventaja?

Lo cierto es que no todo son **desventajas** en un acento extranjero. Éste pone en evidencia que el hablante no es nativo, lo que incita al interlocutor a (1) ser más tolerante con la producción oral del alumno extranjero y (2) adaptar su propia producción oral *(foreigner talk)* para facilitarle al extranjero la comprensión del mensaje. Es más, a veces el alumno cuida su acento extranjero como un *escudo* que salvaguarda su identidad étnica y que reafirma la pertenencia a su propia comunidad lingüística, a la que no está dispuesto a renunciar. Probablemente, esta voluntad de autoafirmación étnica sea más propia de los adultos que de los niños. Ahora bien, aproximarse a la pronunciación de los nativos (léase, alejarse del acento extranjero) suele reportarle **beneficios** al alumno, tales como una mejor acogida en la otra comunidad lingüística. En última instancia, es responsabilidad del propio estudiante decidir si acepta o combate su acento extranjero.

2.9. Procesamiento de la prosodia

Cuestiones clave

- **¿Cómo procesa el cerebro humano la prosodia que percibe y la que produce?**
- **¿Es imprescindible una buena percepción fónica para lograr una buena producción fónica?**

¿Cómo se procesa la prosodia?

¿Cómo procesa el oyente el aducto *(input)* auditivo que recibe? ¿Sigue un proceso sintético *(bottom-up)* o analítico *(top-down)*? ¿o bien realiza un procesamiento en paralelo, combinando ambos procesos[36]? El procesamiento del lenguaje no es tan simple como a veces se supone: identificar palabras, y con ellas formar frases. La realidad es que el

---

[36] Cantero (1995: 298 y ss.) concibe el procesamiento del discurso como dos procesos paralelos, uno de carácter analítico (del grupo fónico a las palabras fónicas, de éstas a los elementos léxico-gramaticales y de éstos al núcleo semántico), que el autor denomina "comprensión en zigzag", y otro de "comprensión *progresiva*", que opera demarcando un grupo fónico tras otro e identificando en ellos los núcleos semánticos (v. también Cantero y de Arriba, 1998 y Cantero, 1998).

procesamiento **analítico** (de unidades mayores a menores) y el **sintético** (de menores a mayores) son perfectamente compatibles (cfr. Helfrich, 1985: 28-9).

Sería tautológico mencionar que el proceso de comprensión auditiva es, lógicamente, **auditivo**. Ahora bien, al referirnos al proceso de comprensión lectora, solemos centrarnos en el innegable componente **visual**, soslayando el no menos decisivo componente auditivo. Durante la lectura el lector oye una voz interna, su voz lectora, imprescindible para la comprensión del texto. Los sonidos o ruidos ambientales suelen interferir en el proceso de comprensión lectora, bloqueándolo incluso en los casos extremos en que llegan a ahogar la voz mental lectora, por más que la vista recorra una y otra vez las líneas del texto. Lo que nos interesa apuntar aquí, ante todo, es que esa voz también está dotada de acentuación, ritmo y entonación (v. Cantero, 1992). En suma, el procesamiento originario del lenguaje humano es de orden auditivo. Con la invención de los sistemas de escritura, se desarrolla un procesamiento secundario visual, que no suple al auditivo, sino que lo complementa. La lectura es, por tanto, un proceso audiovisual (audiotáctil, en el caso de los invidentes).

¿Qué relación existe entre la percepción fónica y la producción fónica?

Por regla general, se considera que **percibir** correctamente es una condición *sine qua non* para poder **producir** satisfactoriamente. Un caso extremo es el de los sordomudos, cuya imposibilidad de percepción les dificulta sumamente la producción. No obstante, como veremos en 3.3.3., en el aprendizaje de la entonación el canal visual puede servir no sólo como complemento del canal auditivo, sino incluso como canal sustitutivo de éste; p. ej., un alumno con dificultades auditivas puede llegar a producir correctamente unas curvas melódicas modulando la F_0 de su voz guiándose por las curvas modelo que aparecen en el monitor. En cualquier caso, la sensibilidad perceptiva es sólo uno de los factores que intervienen en la adquisición fónica de una LE. Otros factores son la facilidad para la producción fónica, la motivación por adquirir una buena pronunciación, la calidad y cantidad de aducto lingüístico (*input*), la inteligencia general, el estilo cognitivo, el bagaje cultural, la experiencia de aprendizaje (en general, y en otras LLEE, en particular), la edad, la L_1... Los factores pueden sumarse entre sí o contrarrestarse, p. ej., una sólida motivación sumada a una buena sensibilidad perceptiva y a un método de enseñanza adecuado es previsible que conduzcan al éxito. Sin embargo, la falta de motivación o un método contrario a las expectativas del alumno pueden desembocar en un fracaso rotundo, por más que el alumno esté dotado de una excelente sensibilidad perceptiva (cfr. Iruela, 1997: 11).

Si todavía quedan dudas por resolver en torno a la producción de la **frecuencia fundamental** (F0) por parte del hablante, los mecanismos que intervienen en su procesamiento por parte del oyente son todavía más enigmáticos[37]. A lo sumo, se ha llegado a formular una teoría relativa a la existencia de un procesador central que, a partir de los armónicos (v. la explicación en 1.1.), es capaz de hallar el máximo común divisor, es decir, la F0 ('t Hart et al., 1990: 25).

---

[37] En torno al procesamiento auditivo del componente fónico del lenguaje, cfr. Delgutte (1997) y Moore (1997).

ACTIVIDADES

ACTIVIDADES

¿Qué opina usted sobre las siguientes afirmaciones? ¿Puede justificar su postura en cada caso? ¿Se le ocurre algún ejemplo que ilustre su razonamiento?

1. Los niños aprenden antes la prosodia que los sonidos de su L1.

2. Los niños aprenden la prosodia de una LE con más facilidad que los mayores.

3. La entonación es el componente más íntimo de la pronunciación.

4. Los nativos somos igual de comprensivos con las faltas de entonación que con las de gramática o las de vocabulario de los extranjeros cuando hablan español.

5. El Análisis Contrastivo parece interesante, pero en la práctica es poco útil.

6. El error no es un fenómeno indeseable, sino una señal de que el alumno se esfuerza.

7. La interferencia de la L1 en la LE se aprecia sobre todo en el nivel fónico.

8. El acento extranjero se debe, principalmente, a la interferencia de los sonidos de la L1.

9. Hay alumnos que no están dispuestos a despojarse de su acento extranjero.

10. Si un alumno no percibe correctamente, es imposible que produzca satisfactoriamente.

DIDÁCTICA DE LA PROSODIA EN LAS CLASES DE ELE

3.1. El papel de la prosodia en las clases de ELE

Cuestiones clave

- ¿Por qué habitualmente los profesores de ELE dedican menos atención a la enseñanza de la prosodia que a la de, por ejemplo, los sonidos o la gramática?
- ¿Por qué la mayoría de los alumnos de ELE se esfuerzan por aprender gramática, léxico, etc., pero, generalmente, no tienen como objetivo llegar a dominar la prosodia?

¿Habitualmente, se enseña en clase la prosodia del ELE?

Ciertamente, la investigación en torno a la prosodia sigue estando descompensada con respecto de la investigación en torno a los segmentos de la lengua. Por otro lado, no basta con investigar; es preciso, además, canalizar hacia el aula –materiales didácticos, tareas, método...– los conocimientos derivados de la investigación teórica y experimental. Tras la fundación de la Asociación Fonética Internacional en 1886, algunos de sus miembros –además de lingüistas, profesores de LE– lanzan propuestas de aplicación de los conocimientos de fonética y fonología a la práctica docente: instruir a los alumnos en la pronunciación de la LE; mas tales propuestas no tienen suficiente eco en el ámbito docente ni del ELE (cfr. Poch, 1993: 193) ni de otras lenguas europeas[38]. Como consecuencia, la pronunciación sigue siendo una de las cuestiones o *asignaturas* pendientes (Cortés Moreno, 2000c). Son

---

[38] Alemán/LE (Dieling, 1992: 7), inglés/LE (Brown, 1991: 1), francés/LE (Lepetit y Martin, 1990: 135), etc.

significativos los apelativos que algunos autores emplean para referirse a la ortofonía, el estudio de los medios para corregir o mejorar la pronunciación (fonética correctiva): "la cenicienta" de la enseñanza de la LE (Kelly, 1969), "un pariente pobre de la didáctica de las lenguas" (Renard, 1971: 11), "una hijastra" (Cauneau, 1992: 7).

¿Cuántos estudiantes de ELE no han oído hablar de tiempos (p. ej., de las diferencias entre los pretéritos imperfecto, indefinido y perfecto) y modos verbales (sobre todo del *temible* subjuntivo), de frases, oraciones, sintagmas, género, número o personas? ¿Pero a cuántos se les ha explicado qué es un grupo fónico, un grupo rítmico, una inflexión, la F0, la amplitud o la cantidad? ¿Es pedagógicamente justificable esa diferencia de tratamiento del componente gramatical frente al componente fónico?

¿Qué concepto tienen los profesores de ELE sobre la prosodia y su enseñanza?

La didáctica de la pronunciación española, en general, y de la prosodia española, en particular, con frecuencia recibe **menos atención** de la que merece, por diversas razones. Para empezar, algunos profesores de ELE todavía no han tenido ocasión de recibir una formación adecuada en el ámbito fónico. En algunos casos, existe la creencia de que la adquisición de la entonación es un proceso automático, del que no hay que preocuparse o incluso en el que el profesor poco puede hacer; dicho sea de otro modo: poco a poco y con facilidad los alumnos ya irán cogiendo los sonidos y la prosodia, mientras que al profesor le resultaría muy complicado enseñarles todo eso. En efecto, la entonación se considera uno de los aspectos más **difíciles** de aprender y de enseñar en una LE (v. Poch, 1993: 198). Es más, se plantea la cuestión de hasta qué punto puede incidir el proceso instructivo en la adquisición de la entonación; con otras palabras: ¿se puede enseñar la entonación (en clase), del mismo modo que se enseña el vocabulario o la gramática? Nosotros estamos convencidos de que sí. Por último, cabe subrayar el papel marginal que tradicionalmente ha desempeñado la prosodia, tanto en los materiales didácticos (en la introducción, en el apéndice, en actividades desligadas del tema de la unidad...) como en las publicaciones en el ámbito de la didáctica del ELE.

Evidentemente, no se puede pretender que cada profesor sea a la vez fonólogo, lexicólogo, gramático, psicolingüista, pedagogo, etc. Ahora bien, es imprescindible que conozca suficientemente –en la medida que exija su contexto de enseñanza– todos los ámbitos relacionados con su **profesión**, y entre ellos figuran la fonética y la fonología. Unos conocimientos sobre el sistema fonológico de la L1 de los alumnos también le son de utilidad al profesor para comprender las dificultades que éstos experimentan en la percepción y/o producción del ELE, independientemente de que el profesor aprenda o no a hablar la L1 de sus alumnos. Obviamente, la tarea se multiplica cuando el grupo de alumnos es lingüísticamente heterogéneo. En cualquier caso, unas horas de estudio son suficientes para informarse sobre un sistema fonológico. Por otro lado, el docente precisa de una formación específica en didáctica de la prosodia. Debe quedar bien clara la diferencia entre aquello que el profesor precisa saber –sobre fonética, fonología, didáctica, psicología...– y aquello que precisa transmitir al alumno para mejorar su competencia prosódica. Por ejemplo, el alumno no necesita saber los parámetros que subyacen a una sílaba acentuada –tono, intensidad, duración y timbre– ni para percibirla ni para producirla. Sólo a algunos alumnos les resultará imprescindible estudiar dichos parámetros, p. ej., a los estudiantes de Lingüística o de Filología y, en general, a los futuros profesores de ELE.

¿Y qué concepto tienen los alumnos sobre la prosodia y su aprendizaje?

En un contexto de instrucción formal existe un factor que contribuye a marginar la prosodia. Para una parte considerable de los estudiantes de una LE, uno de los objetivos (en determinados casos, el único) de su dedicación es la obtención de unas calificaciones positivas. Para lograrlas, deben realizar tareas en clase o en casa y superar unas pruebas (ejercicios de control, exámenes...). Dado que el peso específico de la acentuación y de la entonación en ese proceso de evaluación es, en el mejor de los casos, ínfimo, resulta perfectamente comprensible y lógico que los propios alumnos –sea de modo consciente o inconsciente– cuando escuchan las grabaciones o a su profesor de LE, se concentren en otros aspectos (semántico, gramatical, etc.) y presten **poca atención** (o casi ninguna) a los acentos y a los contornos entonativos; de modo que, si no se toman medidas, poco progreso cabe esperar en estos aspectos.

3.2. El papel de la acentuación y la entonación en diversos métodos y enfoques didácticos

Cuestiones clave

- ¿Cómo ha ido evolucionando el papel de la enseñanza de la prosodia en la historia de la metodología?
- ¿Existen métodos diseñados específicamente para la didáctica y corrección de la pronunciación?

¿Qué tratamiento reciben la acentuación y la entonación en los diferentes modelos didácticos[39]?

En el Método Clásico, también llamado Método de Gramática y Traducción, que es el método predominante en Europa desde la década de los 40 del siglo XIX hasta la misma década del siglo XX, la prosodia, sencillamente, no se tiene en cuenta. A partir de los años 40 hasta finales de los 60 del siglo pasado, la prosodia ocupa un puesto importante en la enseñanza de la LE (aunque nunca a la altura del de la gramática): consta en el programa y es objeto de una enseñanza consciente. En el Método Directo la pronunciación se enseña de un modo intuitivo, mediante la imitación y la repetición; la corrección es prioritaria. Típicamente, en los modelos didácticos basados en en el conductismo –el Método Audiolingual (*Audiolingualism*), el Enfoque Oral (*Oral Approach*), el Enfoque Situacional (*Situational Approach*)–, el alumno escucha e imita los sonidos y la entonación del profesor y de las grabaciones, sus modelos; también aquí la corrección es prioritaria. A los alumnos se les instruye explícitamente acerca de cómo mejorar la pronunciación; la práctica se basa en la imitación, actividades sistemáticas (*drills*) y memorización, siempre vigilando estrictamente la corrección. El objetivo primordial es la formación de hábitos lingüísticos: "automatizar al máximo una percepción instantánea y una producción precisa de los sonidos, ritmo y entonación" (Fries, 1945: 26).

Pronto surge el desencanto con los modelos conductistas: los logros en el ámbito fónico no se corresponden con las expectativas. Con la crisis del conductismo y el consiguiente declive de los modelos didácti-

---

[39] V. Celce-Murcia (1996: 2-7), Cortés Moreno (2000a).

cos basados en él, los *drills* reciben duras críticas y en algunos círculos docentes caen en desuso. Lo preocupante de la época posconductista es la carencia de una alternativa metodológica sólida para la didáctica de la pronunciación, hecho que conduce a ésta al *exilio*. Como reacción al conductismo y en el marco de la lingüística generativa y de la psicología cognitiva, se gesta el Código Cognitivo, en el que la pronunciación queda marginada por considerarse que el tiempo de instrucción surte mayor rentabilidad si se dedica a los componentes léxico y gramatical (Celce-Murcia et al., 1996: 4-5). Así, desde finales de los años 60 hasta la década de los 80, el peso específico de la pronunciación va mermando, hasta que ésta queda relegada a un puesto marginal. De ahí el apelativo de "la gran olvidada" que Guimbretière (1994: 49) le aplica, refiriéndose a la década de los 70.

El Código Cognitivo también fracasa, y así queda abonado el terreno para que vayan germinando diversas alternativas. He aquí las más significativas: el Enfoque Natural y el Método de Respuesta Física Total, en los que el profesor es muy tolerante con los errores de pronunciación; el Modo Silencioso, la Sugestopedia y el Aprendizaje de la Lengua en Comunidad, que abogan por la repetición y dan prioridad a la fluidez por encima de la corrección.

El Enfoque Comunicativo da prioridad a la comunicación, por lo que la inteligibilidad del mensaje –y en el mensaje oral la pronunciación es clave– es importante y es uno de los principales criterios en la evaluación. El valor del contenido de un mensaje es incuestionable, pero la forma, esto es, el código fónico –fonemas, acentemas, entonemas, pausas, ritmo– no lo es menos. Para que exista comunicación oral, además de un contenido pertinente, coherente, etc., es preciso, por una parte, que el emisor sepa dar al mensaje una forma fónica adecuada y, por otra, que el receptor esté capacitado para descodificar dicha forma fónica.

Ya a mediados de los 80 se produce un nuevo giro que favorece la reacogida de la didáctica de la pronunciación en la enseñanza de la LE, pero con un planteamiento distinto de otras épocas. A partir de la década de los 90, cada vez más se procura ofrecer al alumno una práctica fónica significativa y contextualizada en una situación de comunicación oral concreta; cada vez más se va reconociendo la importancia de la prosodia. Así, en el Enfoque por Tareas, *sucesor* del Enfoque Comunicativo, se crea un marco de acción propicio –tanto en las pretareas como en las tareas– para el desarrollo de las formas lingüísticas, entre las que tienen cabida los aspectos fónicos.

¿Qué métodos existen para la didáctica y corrección de la pronunciación?

Tras este breve recorrido histórico por los modelos didácticos más representativos[40], vamos a referirnos ahora a dos métodos diseñados específicamente para la didáctica y corrección de la pronunciación: el método fono-articulatorio y el verbo-tonal.

El principio fundamental del **método fono-articulatorio** es que una práctica fónica consciente potencia el control sensorio-motriz, lo que repercute en una mejora de los aspectos fónicos practicados en la LE. Por ello, se les pide a los alumnos que observen –p. ej., con espejos– y palpen los movimientos del aparato fonador durante la producción del habla. Se recurre a láminas del aparato fonador, se practica la transcripción fonética, etc. Se estima que la práctica fónica con los ojos cerrados y en voz baja favorece la concentración del alumno y una percepción más intensa de los movimientos del aparato fonador. La entonación se adquiere debidamente contextualizada en una situación concreta y empleada con un fin específico (Gehrmann, 1994: 76-82).

En contraposición al anterior, el **método verbo-tonal** es un claro exponente de una adquisición inconsciente del sistema fónico. Este método fue diseñado por Petar Guberina en Zagreb (Croacia) para la reeducación de los sordos y posteriormente adaptado para la enseñanza de una LE –p. ej., del francés (Renard, 1971) o del alemán (Cauneau, 1992)- o de una L2 –p. ej., del catalán (Dalmau et al., 1985)–. Finalmente, el método verbo-tonal se funde con el audiovisual, dando como fruto el estructuro-global-audiovisual (SGAV). Guberina concibe un aparato para reeducar la audición, el denominado SUVAG-LINGUA (*Système universel verbo-tonal d'audition Guberina*[41]). En esencia, el aparato consta de una serie de filtros que permiten la supresión de ciertas bandas de frecuencias, dejando vía libre únicamente a las bandas seleccionadas. Con el SUVAG-LINGUA se pretende, en primer lugar, que el alumno perciba la diferencia entre su propia pronunciación y la del modelo y, en segundo lugar, "estimular su cerebro" tanto para la percepción como para la producción; para dicha estimulación son ideales las frecuencias altas, alrededor de los 6.200 Hz (Vuletic' y Cureau, 1976: 58-63).

---

[40] Para una historia de la metodología, v. Cortés Moreno (2000a: 231-76).
[41] Sistema universal verbo-tonal de audición Guberina.

En el método verbo-tonal se considera que la entonación y el ritmo constituyen un marco de acción idóneo para corregir defectos en la pronunciación de los segmentos (v. Poch, 1999: 87 y ss.). Si, p. ej., se desea conseguir una mayor tensión articulatoria en determinados sonidos producidos demasiado laxos, se coloca esos sonidos al final de frases portadoras con entonación ascendente. Sería el caso de dos pronunciado por un extranjero como [doz], en lugar de [dos]. Para corregir ese defecto, es decir, para ensordecer el sonido final de dos, la solución verbo-tonalista sería que el extranjero en cuestión practicara con frases como ésta: *¿Dices que te has levantado a las dos? ¿Qué tú sólo te has comido dos?*, etc. Así, se comprende que el nombre del método sea precisamente *verbo-tonal*: *verbo*, en el sentido latino de *palabra, habla; tonal*, dado que se recurre al tono como elemento auxiliador en la corrección de los sonidos. Sin embargo, el método no aporta ninguna sugerencia relativa a la enseñanza/corrección de los entonemas de la LE, salvo la mera imitación.

3.3. El peso específico de la acentuación y la entonación en los materiales de ELE

Cuestiones clave

- **¿Qué atención se dedica a la acentuación y a la entonación en los materiales de enseñanza del ELE?**

Hemos pasado revista a unas 70 obras (tomadas al azar) relacionadas con la (didáctica de la) pronunciación española (Cortés Moreno, 1999a): tanto tratados dirigidos a lingüistas y profesores como manuales concebidos específicamente para la enseñanza/aprendizaje del español[42]. Exponemos aquí en síntesis los resultados de dicha revisión, con el fin de ofrecer una idea más cabal del tema que nos ocupa. En numerosos manuales[43] y libros de juegos[44], no se hace ninguna referen-

---

[42] En Cortés Moreno (1999a, 2001a) se analizan alrededor de 120 obras relacionadas con la (didáctica de la) pronunciación inglesa, francesa, alemana, noruega, rumana, italiana, china y catalana.

[43] Ejemplo: Varela et al. (1994).

[44] Ejemplo: Costa y Alves (1997).

cia explícita a la acentuación ni a la entonación. En algunos manuales[45] y tratados de fonética y fonología[46] se trata la acentuación, pero no la entonación. La correspondencia entre acento fónico y acento gráfico se explica y/o se practica en algunas obras[47]; en otras, en cambio, sólo se hace alusión al acento gráfico, no al fónico[48]. Sólo en algunos manuales[49] aparecen actividades dedicadas a la acentuación y a la entonación. Navarro Tomás (1918) dedica un capítulo a la descripción de la entonación española y otro a ejercicios de entonación. También aparece un capítulo de ejercicios en Canellada y Kuhlmann (1987). En los manuales de Saussol (1983) y Quilis (1993) la prosodia y los fonemas reciben una atención proporcionada. Bowen y Stockwell (1960) dedican dos de sus cuatro capítulos a la acentuación, el ritmo y la entonación. Alcoba (1974) trabaja la entonación en cada unidad. Por último, mencionaremos el *Manual de Entonación Española* de Navarro Tomás (1944), dedicado, como su título indica, al fenómeno en cuestión, incluido un capítulo de ejercicios. Son varios los autores que le recomiendan al profesor hacer hincapié en la entonación[50]. Tras esas declaraciones subyace el reconocimiento común de la importancia de la prosodia. Recapitulando, en los libros de ELE, en general, se dedica mucha menos atención a los aspectos fónicos que, p. ej., a los gramaticales; y dentro de los aspectos fónicos, es, precisamente, la entonación la que **menos atención** suele recibir. Algunos manuales no se ocupan directamente de la acentuación y la entonación, sino que remiten al alumno al material audio(visual) del curso en cuestión[51].

---

[45] Ejemplo: Abrahamsen y Nørgaard (1990).
[46] Ejemplo: Grab-Kempf (1988).
[47] Ejemplo: Borobio (1995).
[48] Ejemplo: Moreno et al. (1995).
[49] Ejemplo: Giovannini et al. (1996).
[50] Ejemplo: Martín Peris et al. (libro del profesor, 1985: 4).
[51] Ejemplos: *Viaje al español* (1996, *libros del profesor, nivel 1*: 9), cintas de vídeo; Miquel y Sans (1994, *guía del profesor*. 6), cintas de audio; Martín Peris y Sans (1997, *libro del alumno*: 5), disco compacto.

ACTIVIDADES

ACTIVIDADES

1. ¿Considera usted que, en general, en las clases de ELE se enseña y se practica suficientemente la acentuación y la entonación?

– En caso afirmativo, ¿qué le aportan esos conocimientos y prácticas al alumno?

– En caso negativo, ¿cuáles son las razones?, ¿hay alguna solución?

2. ¿Qué tipo de conocimientos y formación precisa un profesor para poder enseñar la prosodia española?

3. En su opinión, ¿es preciso enseñar a los alumnos de ELE metalenguaje fónico, es decir, términos como, p. ej., *grupo fónico, grupo rítmico, amplitud, cantidad*, etc.?

4. Rellenando esta ficha, podrá tener una visión panorámica de la atención que recibe la prosodia y la pronunciación en los diferentes modelos didácticos. Las dos primeras filas ya están rellenas como ejemplos, aunque discutibles. No es preciso completar todas las casillas en cada modelo.

Modelos didácticos	¿Qué peso específico tienen la prosodia y la pronunciación?	¿La práctica fónica se basa en la imitación y en la repetición?	¿La práctica fónica se basa en memorización?	¿El objetivo primordial es la formación de hábitos lingüísticos?	¿La corrección fónica es prioritaria?	¿La fluidez es prioritaria?	¿La inteligibilidad del mensaje oral es prioritaria?	¿El profesor es muy tolerante con los errores?
Método de Gramática y Traducción	escaso	------	------	------	-----	-----	-----	sí
Método Directo	mediano	sí	no	no	sí	no	no	no
Método Audiolingual								
Enfoque Oral								
Enfoque Situacional								
Código Cognitivo								

ACTIVIDADES

Modelos didácticos	¿Qué peso específico tienen la prosodia y la pronunciación?	¿La práctica fónica se basa en la imitación y en la repetición?	¿La práctica fónica se basa en la memorización?	¿El objetivo primordial es la formación de hábitos lingüísticos?	¿La corrección fónica es prioritaria?	¿La fluidez es prioritaria?	¿La inteligibilidad del mensaje oral es prioritaria?	¿El profesor es muy tolerante con los errores?
Enfoque Natural								
Método de Respuesta Física Total								
Modo Silencioso								
Sugestopedia								
Aprendizaje de la Lengua en Comunidad								
Enfoque Comunicativo								
Enfoque por Tareas								

5. Bajo su punto de vista, ¿cuál es más efectivo, el método fono-articulatorio o el método verbo-tonal? ¿Le parece viable emplear una combinación de ambos?

6. ¿Qué atención se dedica a la acentuación y a la entonación en los materiales de enseñanza del ELE que usted usa habitualmente?

7. Si el profesor desea realizar más actividades de acentuación y entonación de las que aparecen en los materiales habituales de clase (libro de texto, de ejercicios, etc.), ¿adónde puede recurrir?

UN MODELO DIDÁCTICO DE LA ACENTUACIÓN Y DE LA ENTONACIÓN EN ELE

4.1. Introducción

En este capítulo nos proponemos elaborar un modelo didáctico de la acentuación y de la entonación en ELE. En modo alguno pretendemos hallar la *fórmula mágica* que garantice una adquisición automática y sin esfuerzo. Nuestra meta es menos ambiciosa y más realista: diseñar un marco teórico en torno a cuestiones como las siguientes:

- **concienciación** de la relevancia de estos fenómenos suprasegmentales,
- **selección y secuenciación** de aspectos acentuales y entonativos,
- búsqueda de **opciones metodológicas, técnicas** y **materiales** adecuados para
    a) la **enseñanza** y **corrección** de la prosodia y
    b) la **evaluación** de la competencia prosódica.

Nuestra labor tiene bien poco que ver con la *ortoepía* u *ortología* (fonética normativa) –entendemos que la norma corresponde fijarla a los hablantes en general, no sólo a los lingüistas–, pero mucho que ver con la **ortofonía** (fonética correctiva), el estudio de los medios de corregir o de mejorar la pronunciación.

Con frecuencia se considera que la entonación es difícil de enseñar y de aprender. Esa creencia o hipótesis se confirmará o refutará tras un período suficientemente duradero de enseñanza/aprendizaje del fenómeno. Hasta ahora en ELE, por regla general, no se enseña de un modo sistemático, no forma parte del currículo o programa. Sólo si se integra en él, se podrá evaluar en qué medida es *enseñable/aprendible*. Nosotros, basándonos en los resultados de los experimentos de Cortés Moreno (1998, 1999a, 1999b, 2000b, 2001b, 2002b), llevados a cabo con un total de 200 sinohablantes estudiantes de ELE, sostenemos que su enseñanza/aprendizaje es viable. En efecto, en todos esos experimentos se constata una evolución positiva en la adquisición de la prosodia, hecho que nos conduce al siguiente razonamiento: si se ha logrado un avance en el componente prosódico, aun sin haberle prestado una atención directa y programada, ¿cuánto más se habría avanzado de haberse ocupado de él?

¿Para qué tipo de alumnado se ha concebido este modelo didáctico de la prosodia?

La enseñanza del ELE presenta unas características comunes, independientemente del tipo de alumnado, y otras características específicas, distintas en función de la procedencia cultural y lingüística de los alumnos, de su extracción social, de su edad, etc. Lógicamente, aquí no podemos prever todas las combinaciones posibles de esos múltiples factores individuales y colectivos. Es por ello que optamos por diseñar un modelo suficientemente amplio como para poder albergar las peculiaridades de cada grupo de alumnos de ELE en cualquier contexto de aprendizaje. A partir del **marco general** que ofrecemos en este capítulo, confiamos en que cada profesor podrá perfilar y matizar las diversas cuestiones que planteamos, adaptando el modelo al caso concreto de sus alumnos. Evidentemente, no es lo mismo enseñar ELE a germanohablantes que a francohablantes que a lusohablantes que a sinohablantes que a eslovenohablantes que a anglohablantes... o que a un grupo multilingüe, como los que tenemos en los centros de enseñanza de ELE en España y en otros países de habla hispana.

¿Este modelo sería aplicable a estudiantes de otras lenguas extranjeras?

Si bien la aplicación más inmediata de este modelo es a extranjeros que aprenden ELE, los principios didácticos que vamos a exponer aquí pueden aprovecharse como **punto de partida** para nuevos modelos –dirigidos a alumnos de otra LE–, con la condición *sine qua non* de que se analice con rigor las características acentuales y entonativas de las lenguas en cuestión (L1 y LE). Transferir directamente este –o cualquier otro– modelo de una lengua a otra sería un despropósito. El siguiente ejemplo bastará para justificar esta afirmación. Dado que en español la tilde señala la posición del acento de la palabra fónica, el texto escrito le proporciona al alumno extranjero una información prosódica valiosa, de modo que el apoyo en el lenguaje escrito parece provechoso.

Ahora bien, el empleo del acento gráfico difiere sensiblemente entre unas y otras lenguas: salvo en algunos préstamos lingüísticos (p. ej., *fiancée*), en inglés no existe acento gráfico; en danés, además de ese tipo de préstamos lingüísticos (p. ej., *entré*), sólo existe un acento diacrítico, que posibilita la distinción léxico-gramatical en casos como *ved* (preposición, *junto a*) frente a *véd* (verbo, *saber*); en francés el tipo de acento (agudo, grave o circunflejo) señala el timbre de la vocal en cuestión; etc. Habida cuenta de estas diferencias entre el español y cualquiera de estas lenguas indoeuropeas, el empleo o no de textos escritos para el desarrollo de la competencia acentual en inglés/LE, danés/LE o francés/LE precisaría una nueva reflexión.

4.2. Concienciación de la importancia de la acentuación y de la entonación

Cuestiones clave

- ¿Hasta qué punto son importantes la acentuación y la entonación en la comunicación oral?
- ¿Qué implica la concienciación prosódica del propio profesor?
- ¿Conviene concienciar al alumno de la importancia de estos fenómenos?, ¿por qué?, ¿cómo?

¿Por qué son importantes la acentuación y la entonación en la comunicación oral?

Ante todo, es imprescindible que tanto discentes como docentes sean conscientes de la relevancia de la acentuación y de la entonación en la comunicación oral. La corrección en el empleo de estos fenómenos prosódicos es decisiva para garantizar la **inteligibilidad** y, por ende, la comunicación. Así, en el ámbito fónico, la primera meta para el estudiante de una LE es la inteligibilidad. Obviamente, la inteligibilidad –como la interacción comunicativa– es bidireccional. Ello significa que el alumno debe, por una parte, conocer los patrones prosódicos

–acentemas[52] y entonemas[53]– de la LE para poder entender –y no malentender– a su interlocutor y, por otra, respetar dichos patrones en su propia producción fónica para ser entendido por su interlocutor. En consecuencia, se debe trabajar tanto la vertiente de la percepción como la de la producción. Habrá quienes ya se den por satisfechos con alcanzar un nivel de inteligibilidad; otros, sin embargo, aspirarán a más. Ello depende de múltiples factores. Algunos de ellos están relacionados con el carácter y la personalidad del estudiante: su nivel de autoexigencia, su afán de perfeccionismo, etc. Otros están directamente relacionados con (y condicionados por) el objetivo del aprendizaje de la LE, p. ej., para turismo, negocios, para formarse como traductor, filólogo, profesor, etc. El nivel de perfección que se pretende alcanzar puede ubicarse en un continuo comprendido entre una supervivencia fónica y una adecuación fónica de nivel casi nativo.

Por regla general, quienes aprenden ELE no logran desprenderse de su acento extranjero –condicionado por la interferencia segmental y suprasegmental de su L1–. Una competencia fónica deficiente –amén de entorpecer la comunicación– puede ser motivo de irritación del nativo, si éste debe realizar un sobresfuerzo para comprender a su interlocutor extranjero. Es más, una curva melódica inadecuada incluso puede originar situaciones embarazosas. Por el contrario, **una buena competencia fónica** puede facilitarle al extranjero su relación con otros hablantes (nativos o no) de español. En este sentido, conviene alertar a los alumnos de los riesgos que conlleva la transferencia de su L1 a la LE. Lo cierto es que no existe una coincidencia plena entre los sistemas entonativos de dos lenguas, por muy próximas que estén; p. ej., la entonación interrogativa castellana y la catalana (dos lenguas hermanas) difieren sensiblemente. En consecuencia, por lo general, cualquier transferencia de la entonación de la L1 a la de la LE en la producción oral dará como resultado una distorsión de los entonemas empleados.

¿Qué implica la concienciación prosódica del propio profesor?

Damos por sentado que el profesor de ELE es plenamente consciente de que la prosodia no se aprende en clase en virtud de un proceso

---

[52] Esquema o patrón de acentuación, p. ej., átona - átona - átona - tónica - átona en la palabra *maravillosa*.
[53] Esquema o patrón de entonación, p. ej., inflexión inicial ascendente, cuerpo con un movimiento descendente e inflexión final ascendente en una oración interrogativa como *¿Ya están aquí tus amigas de Canadá?*

automático y sin esfuerzo. El **proceso de formación** empieza, claro está, por la del propio formador, quien precisa unos conocimientos suficientes en los siguientes ámbitos: fonética y fonología del español (a ser posible, también de la lengua de los alumnos) y didáctica de la pronunciación. (V. la obra de D. Poch, 1999, *Fonética para aprender español: pronunciación*, en esta misma colección y la Bibliografía Básica que aparece al final de esta obra). Con ese bagaje estará en condiciones de instruir a sus alumnos, seleccionando y/o diseñando técnicas, actividades y materiales acordes con las necesidades de esos estudiantes concretos, a quienes nos referimos como *grupo meta* (GM).

¿Conviene concienciar al alumno de la importancia de estos fenómenos?, ¿por qué?, ¿cómo?

Desde la perspectiva del alumno, el primer paso consiste, lógicamente, en concienciarse de la conveniencia –si no necesidad– de mejorar su competencia prosódica. Por lo general, el alumno que es consciente de que tiene una buena competencia fónica se siente más motivado para hablar y participar en actividades orales en clase y, en definitiva, para continuar el aprendizaje del ELE (cfr. Iruela, 1993: 35). La motivación y el éxito inciden entre sí recíprocamente: la motivación allana el camino hacia el éxito; el éxito consolida y acrecenta la motivación (cfr. Cortés Moreno, 2001e).

De entre los múltiples factores que intervienen en la adquisición de una LE –inteligencia general, estilo cognitivo, aptitud, actitud, bagaje cultural, experiencia previa de aprendizaje, edad, L1...–, en el que mejor puede incidir el profesor es, precisamente, en la motivación: explicando las ventajas, animando al progreso, diseñando tareas, creando situaciones... e incluso incitándolos a reflexionar sobre cómo reaccionan los propios alumnos ante la buena o mala entonación de un extranjero cuando habla la lengua de los alumnos. Una actividad interesante en este sentido es escuchar grabaciones de extranjeros (preferentemente, hispanohablantes) hablando la lengua de los alumnos. Otra actividad divertida consiste en pedirles a los alumnos que imiten a los hispanohablantes nativos cuando hablan la lengua de los alumnos.

4.3. El punto de partida

> **Cuestiones clave**
>
> • ¿Por dónde empezamos la enseñanza fónica?
> • ¿Qué ocurre cuando se descuida la enseñanza fónica?

La **competencia entonativa** de los estudiantes extranjeros en su L1 constituye un utillaje valioso a la hora de interpretar las curvas melódicas de enunciados en español. Merece la pena explicarles que, aunque el proceso de adquisición es largo y arduo, ya tienen parte del camino recorrido[54]: ello les infundirá confianza en sí mismos. No obstante, en la inmensa mayoría de los casos es improbable que lleguen a alcanzar una competencia entonativa en ELE plenamente equiparable a la de los nativos adultos. Esas limitaciones propias de la adquisición de una LE ya están plenamente asumidas en otros ámbitos de la lengua –léxico, morfosintaxis, estilo, pragmática, pronunciación de los sonidos...–, y la entonación no constituye una excepción, hecho que debe tenerse en la mente a la hora de determinar objetivos didácticos realistas.

Por lo que respecta a la competencia acentual, nuestra investigación experimental con sinohablantes (Cortés Moreno, 1999a, 2002a, 2002b) y nuestras observaciones informales continuas de extranjeros de diversas procedencias nos dan razones para pensar que el aprendizaje de la acentuación española plantea a los extranjeros muchas menos dificultades que el aprendizaje de la entonación.

¿Por dónde empezamos? Una primera fase de sensibilización fónica

Tanto en la historia de la humanidad como en la historia personal de cada individuo, en primer lugar se desarrolla el lenguaje oral (primario), y sólo ulteriormente determinadas personas en determinadas sociedades aprenden un lenguaje escrito (secundario). Siendo así, parece coherente **anteponer el lenguaje oral al escrito** en la enseñanza/aprendizaje de una LE: comenzar por las destrezas conversaciona-

---

[54] En Cortés Moreno (1998) se constata cómo 45 universitarios españoles con nivel 0 de chino interpretan correctamente la entonación del 56,10% de los 48 enunciados que escuchan en chino. Igualmente, 41 universitarios taiwaneses con nivel 0 de español interpretan correctamente la entonación del 56,39% de los 48 enunciados que escuchan en español.

les y posteriormente aprender a representar gráficamente lo que oímos o decimos, tal como ocurre en la adquisición de la L1 (v. Cantero, 1991: 255). Y dentro del lenguaje oral, proponemos abordar en primer lugar el componente fónico, posponiendo el tratamiento de los demás componentes: semántico, léxico, gramatical, etc. La justificación de esta propuesta es la siguiente: se puede empezar a trabajar la pronunciación sin tener ningún conocimiento de la LE y (casi) sin explicaciones ni en ésta ni en la L1, como un juego. Por el contrario, en cuanto empezamos a trabajar la morfología, el vocabulario, etc., en ELE, el alumno pide aclaraciones; p. ej., si la pareja del *gato* es la *gata*, ¿por qué la del *caballo* no es la *caballa*?; si una madre le dice a su hijo *Come más*, ¿por qué no puede decirle *No come más*?; etc. Evidentemente, llevar a la práctica estas ideas supone un reto considerable: diseñar actividades que consigan mantener la atención de los alumnos durante una primera fase de lengua sin comunicación en el sentido convencional (diálogos entre personajes, textos y ejercicios sobre una imagen, etc.). Ahora bien, tampoco es un propósito utópico. Tengamos en cuenta que varias actividades humanas, algunas netamente lúdicas –juegos de mímica, canciones tarareadas o musitadas, cine mudo, cuentos y chistes sin palabras...– prescinden del uso habitual del lenguaje. Diseñando materiales atractivos desde el punto de vista auditivo y visual para esas primeras sesiones de *sensibilización fónica*, es factible no sólo mantener, sino incluso acrecentar la motivación por el aprendizaje del ELE.

¿Qué ocurre cuando se descuida la enseñanza fónica?

Habitualmente, se habla de la *enseñanza* de, p. ej., la gramática o del vocabulario, pero de *corrección* fonética o de la pronunciación o de la prosodia. La diferencia terminológica no es azarosa, responde a una cuestión de principios. Se da por sentado que aquéllos son los componentes troncales del lenguaje, por lo que los esfuerzos se concentran en ellos desde el principio. En tales circunstancias, no es de extrañar que los problemas, errores (o como se prefiera denominarlos) de pronunciación –segmental y suprasegmental– vayan germinando y creciendo *al fondo del escenario*. Cuando se repara en ellos, ya parece un poco tarde para hablar de enseñanza: lo que es preciso entonces es, en efecto, una **corrección**. Nosotros abogamos por una práctica de la prosodia desde el inicio del proceso de aprendizaje. Veamos algunas de las razones que justifican una enseñanza prosódica y fónica, en general, desde la etapa inicial, que podríamos denominar *etapa de sensibiliza-*

ción y acomodación fónica en la LE. Se considera que la creación de buenos hábitos segmentales y suprasegmentales en la LE ya desde el principio frena la tendencia del alumno a la formación de malos hábitos fónicos, debidos, en parte, a la transferencia desde su L1 (cfr. Dieling, 1992: 25). Luego el tiempo que se dedique a la pronunciación en dicha etapa constituye una *inversión de alta rentabilidad*, dado que ahorrará tiempo y esfuerzo de aclaraciones y correcciones ulteriores. Tal como señalan Vuletić y Cureau (1976: 74), "más vale prevenir que curar". Por otra parte, si desde el principio se anima al alumno a progresar en el componente fónico y se le hace consciente del propio progreso, es probable que se consiga combatir los frecuentes complejos de mala pronunciación y elevar el nivel de autoconfianza, mejorando así tanto la fluidez (reducción de pausas y titubeos) como la inteligibilidad del discurso. Todo ello contribuirá, previsiblemente, a reavivar la motivación. Concluyendo, abogamos por incluir la pronunciación en toda la extensión del proceso instructivo: desde el primer momento hasta el final.

¿Y dentro del componente fónico por dónde empezamos?

Dado que los fenómenos suprasegmentales contribuyen de forma decisiva a la estructuración fónica del habla en unidades menores e incluso contribuyen a mejorar la pronunciación de los sonidos de la LE, parece razonable anteponer en el proceso instructivo la adquisición de la **entonación** a la adquisición del sistema segmental, a imitación de los procesos de adquisición de la L1 (Vuletić y Cureau, 1976: 88-9). Así lo entienden también Bowen y Stockwell (1960: 4), quienes mantienen que primero conviene "coger el ritmo" de la LE, antes de "entrar en detalles" (los sonidos); o Neuner et al. (1979, *nivel 1, libro del profesor*: 14), quienes propugnan proceder de la entonación del enunciado al acento de palabra y de éste a los sonidos que la componen.

Igualmente razonable parece anteponer la **percepción** a la producción de la prosodia. Acordes con esta teoría, los modelos naturalistas –Respuesta Física Total, Enfoque Natural, etc.–, herederos del Método Directo, le conceden al alumno un margen de tiempo de percepción auditiva, durante el que no se le fuerza a hablar, un período silencioso (*silent period*), en la convicción de que de este modo se desarrollará su competencia fónica, sin precisar de una enseñanza explícita, situación que recuerda la del aprendizaje de la L1.

4.4. Los contenidos prosódicos del programa de ELE

Cuestiones clave

- En concreto, ¿qué podemos enseñar a nuestros alumnos de ELE en materia de acentuación y entonación?
- Una vez seleccionados los contenidos prosódicos, ¿en qué orden vamos a trabajarlos en clase?

Al igual que cualquier otro componente lingüístico, es de esperar que la acentuación y la entonación también tengan un peso específico en cada fase del programa o currículo de ELE: desde los objetivos hasta la evaluación, pasando por los contenidos que se van a abordar (el sílabo), el método y las actividades. En éste y en los próximos apartados desarrollamos nuestra propuesta al respecto.

¿Qué aspectos de la acentuación y de la entonación vamos a enseñar a nuestros alumnos de ELE?

Como primer paso, una **comparación** entre los sistemas acentual y entonativo de la L1 de los alumnos y el **español** nos permite averiguar en qué aspectos difieren, en cuáles se asemejan y en cuáles coinciden. Que las dos lenguas se parezcan en un aspecto determinado no garantiza que ese aspecto será fácil; del mismo modo, que las dos lenguas sean muy distintas en otro aspecto no significa que ese aspecto será inevitablemente difícil. Sólo la experiencia docente y/o la investigación experimental nos permitirá comprobar qué grado de dificultad presenta en la práctica cada uno de esos aspectos. Parece lógico centrar la atención en los aspectos más difíciles. Sin embargo, no por ello se debe desatender los aspectos más fáciles, dado que éstos –generalmente las zonas de confluencia entre ambas lenguas– constituyen una valiosa plataforma, a partir de la cual los alumnos pueden transferir (transferen-cia positiva) a la LE parte de su competencia prosódica en la L1. Así, la enseñanza, las actividades y los materiales no deben encaminarse exclusivamente hacia las áreas o aspectos lingüísticos divergentes en la L1 y en la LE; también conviene explotar aquellas zonas convergen-tes, en las que los alumnos pueden progresar a pasos agigantados. Cabe esperar que la satisfacción de tal progreso redundará en beneficio de su autoconfianza y motivación para seguir aprendiendo.

A la hora de decidir qué puntos se va a incluir en la lista de contenidos del programa, es decir, qué va a enseñar el profesor y qué deberían aprender los alumnos, también es fundamental consultar a los interesados: un **análisis de las necesidades** del GM (grupo meta) en cuestión. Según las características de dicho GM, puede resultar conveniente, o incluso necesario, familiarizarlos con la terminología propia de la disciplina: *entonación, interrogativa, exclamativa, acento, aguda, esdrújula...* Del mismo modo que los alumnos se van familiarizando con la terminología gramatical –*preposición, subjuntivo, subordinación...*–, lo propio es que también conozcan un vocabulario equiparable en el ámbito fónico, tal como se hace en el libro del alumno de Rogerson y Gilbert (1990), donde se explica conceptos como *word stress (acento de palabra), sentence stress (acento de frase), rhythm (ritmo), pitch range (campo tonal), pitch curve (curva melódica)...*

Una vez seleccionados los contenidos, ¿en qué orden vamos a trabajarlos en clase?

En la secuenciación de los contenidos lingüísticos, es habitual seguir los siguientes **criterios**: de **facilidad** (comenzar por los más fáciles), de **frecuencia** (comenzar por los más frecuentes) y/o de **utilidad** (comenzar por los más útiles). En el caso específico de los contenidos prosódicos, nosotros optamos por el primer criterio, el de facilidad, que, de hecho, en el caso de la entonación es paralelo al de frecuencia: los elementos más frecuentes suelen ser los que antes se aprenden (lógico), y viceversa. El criterio de utilidad no nos parece el más pertinente en el caso de la prosodia: tan útiles son las palabras agudas como las llanas, tan útiles son las exclamaciones como las interrogaciones, etc.

Para calibrar la dificultad de cada elemento, se puede llevar a cabo unas pruebas auditivas como, p. ej., las de Cortés Moreno (1998, 1999a, 1999b, 2000b, 2001b, 2001c). Basándonos en esta investigación experimental con sinohablantes que aprenden ELE, establecemos el siguiente orden de dificultad (de mayor a menor) en la adquisición de la entonación: (1) la entonación enfática, (2) la entonación propiamente interrogativa, es decir, de las preguntas absolutas, (3) la entonación de las preguntas pronominales y (4) la entonación declarativa. Dicho sea de otro modo, por regla general, los sinohablantes acceden a la entonación española en el orden siguiente:

(1) la entonación declarativa (.),
(2) la entonación de las preguntas pronominales (?p),
(3) la entonación de las preguntas absolutas (?) y
(4) la entonación de los enunciados enfáticos (!).

Por lo que concierne a la acentuación, los resultados de los experimentos de Cortés Moreno (1999a, 2002a, 2002b) apuntan hacia el siguiente orden de dificultad (de mayor a menor): (1) sobresdrújulas, (2) agudas, (3) esdrújulas y (4) llanas. De modo que, en principio, el orden de adquisición de la acentuación en ELE por parte de los sinohablantes es el siguiente:

(1) palabras llanas (LL),
(2) palabras esdrújulas (E)
(3) palabras agudas (A) y
(4) palabras sobresdrújulas (S).

Recalcamos que el orden de adquisición que acabamos de exponer es el que se desprende de los resultados de esta investigación con sinohablantes; por lo que aprovechamos para invitar desde aquí al lector a observar e investigar qué ocurre en el caso concreto de sus alumnos hablantes nativos de italiano, holandés, ruso, etc. (V. la propuesta de investigación en el apéndice.)

¿Cómo se puede llevar a cabo esas pruebas auditivas?

En el apéndice explicamos con detalle nuestra propuesta y ofrecemos los instrumentos para aplicarla a la práctica en el aula. De lo que se trata, en síntesis, es de preparar una lista de palabras de los tipos básicos (A, LL, E o S) y otra de enunciados (., ?, ?p, !) y de hacer con un grupo de cada curso o nivel de ELE la siguiente prueba auditiva: entregarles unas fotocopias, darles a escuchar unas grabaciones y pedirles que señalen el tipo de palabra (A, LL, E o S) o de enunciado (., ?, ?p, !) que oyen en cada caso. Esta sencilla prueba puede dar una idea orientativa de los tipos más fáciles y más difíciles y la evolución curso a curso a lo largo del proceso de aprendizaje.

Esta información tiene una aplicabilidad directa a la secuenciación de los contenidos prosódicos. La disyuntiva que se plantea es: ¿comenzar por el tipo más fácil e ir introduciendo paulatinamente otros más difíciles hasta llegar al último de la lista? o bien ¿comenzar precisamente por el más difícil para así tener tiempo de dominarlo en los años que dure el proceso de instrucción en ELE? En realidad, la disyuntiva no es tal. Estimamos que ambas alternativas son adecuadas y que es más sensato compaginarlas que descartar cualquiera de ellas.

¿Cómo implementar esa propuesta?

Conviene que, ya desde el principio, el alumno reciba abundantes muestras de los tipos más difíciles –(!) y (S)– y que poco después se le brinde la oportunidad de comenzar a practicarlos –supervisado por el profesor–, incluso en conversaciones de habla espontánea. Debe familiarizarse con ellos, así como con los menos difíciles desde las primeras etapas; el tratamiento en este caso será, preferiblemente, una enseñanza implícita, dirigida a un aprendizaje inconsciente, prescindiendo de explicaciones metalingüísticas y sin incluir esos aspectos prosódicos en la evaluación, una situación que recuerda la de la adquisición en la L_1.

Ahora bien, el orden natural de adquisición –ya sea el mismo que hemos establecido más arriba, o bien otro distinto que el lector descubra en el caso de sus propios alumnos– es importante en el proceso de sistematización o consolidación de cada uno de los patrones prosódicos -acentemas y entonemas-. Entendemos que lo propio es aplicar ese mismo orden a la secuenciación de los contenidos prosódicos. En este caso es donde entra en escena la enseñanza explícita, dirigida a un aprendizaje consciente, recurriendo a aclaraciones metalingüísticas y evaluando los aspectos prosódicos abordados.

Un ejemplo bastará para ilustrar la propuesta: desde las primeras sesiones de ELE los alumnos escuchan enunciados enfáticos; unas sesiones después participan en interacciones que propicien la producción de ese tipo de enunciados. No obstante, sólo en el momento en que su interlengua fónica o lo que más apropiadamente podríamos denominar *interprosodia*, ha alcanzado el nivel suficiente, es decir, cuando ya han superado satisfactoriamente las etapas anteriores –(.), (?p) y (?), en el caso que nosotros hemos investigado– estimamos que están aptos (*maduros*) para acometer la consolidación de (!).

Ni que decir tiene que una secuenciación de orden fonológico entraña una dificultad especial. En otros ámbitos es factible presentar de modo secuenciado las unidades lingüísticas seleccionadas, prescindiendo de otras unidades más elaboradas, menos frecuentes, etc.; p. ej., en el ámbito léxico: *comer, comida, comedor, comensal*; o en el gramatical: *presente, indefinido, pretérito perfecto, pretérito pluscuam-*

perfecto. Sin embargo, en el plano fónico, en un diálogo sencillo de la primera clase lo natural es que ya aparezcan todos los sonidos del español, todos los patrones acentuales y varios patrones entonativos.

Recapitulando, la **entrada en contacto** con los diferentes patrones acentuales y entonativos puede ser natural y **espontánea**, y la **práctica**, **semicontrolada**, pero la sistematización y **consolidación** entendemos que debe regirse por unos **criterios didácticos** definidos en el currículo.

4.5. El enfoque didáctico

Cuestiones clave

- ¿Qué métodos son los más adecuados para enseñar la acentuación y la entonación?
- ¿Es preferible una enseñanza explícita o una enseñanza implícita de la prosodia?
- ¿Es preferible un proceso consciente o inconsciente de adquisición de la prosodia?
- ¿Qué es más importante: que los alumnos lleguen a utilizar la prosodia con corrección o con fluidez?
- ¿Cuáles son las técnicas más empleadas para la enseñanza y corrección de la prosodia?
- ¿Existe algún sistema para transcribir la prosodia?
- ¿Qué ventajas ofrece la combinación de los canales auditivo y visual en las nuevas tecnologías?
- ¿Qué otros recursos pueden reforzar el aprendizaje de la prosodia?
- ¿Qué tipo de práctica –individual, en parejas, en grupo, colectiva...– es más efectiva?
- ¿Qué temporización establecemos para los aspectos prosódicos seleccionados?
- ¿Es preferible practicar la prosodia en tareas aparte o bien integrarla con otros componentes de la comunicación en tareas globales?

En la didáctica de la acentuación y de la entonación (como en la de cualquier otro componente de la LE) se aplica una serie de técnicas y procesos, que podemos clasificar en tres etapas:

(1) **Presentación**: percepción, explicación, representación visual, contextualización, ejemplificación.

(2) **Ejercitación**: imitación, memorización, discriminación, transformación de un modelo, sistematización, práctica en parejas o en grupos.

(3) **Supervisión**: corrección, evaluación.

El procedimiento nos parece coherente, pero no debe concebirse como un proceso lineal inalterable: (1)-(2)-(3). Tras la supervisión, es posible que en unos casos convenga una nueva fase de presentación -(1)-(2)-(3)-(1)- y en otros, una nueva fase de ejercitación -(1)-(2)-(3)-(2). En otros casos, también puede optarse por anteponer la ejercitación a la presentación -(2)-(1)-, o bien por prescindir de la fase de supervisión, etc.

¿Cuál es el método ideal para enseñar la acentuación y la entonación?

La didáctica de la acentuación y de la entonación es viable en cualquier método que no excluya el lenguaje oral y puede desarrollarse mediante actividades y medios dispares. Así, abogamos por el eclecticismo; ningún modelo de enseñanza (método o enfoque) es adecuado o inadecuado en su totalidad. Tampoco cualquier propuesta es válida en cualquier contexto de aprendizaje. Por **eclecticismo** entendemos *esa amplitud de miras que permite analizar con los menos prejuicios posibles una serie de propuestas (metodológicas, de actividades, materiales...) y, de entre ellas, seleccionar las que convengan al GM con el que se está trabajando*. En última instancia, la efectividad de un método o de una técnica se comprobará en la práctica docente con un GM específico, no mediante debates epistemológicos.

El origen de las dificultades prosódicas no siempre cabe buscarlo en la LE en sí, sino también en un cúmulo de factores extralingüísticos. Uno de ellos es el **ambiente** que *se respira* en la clase; p. ej., un alumno que se sienta tenso, obsesionado con la corrección de lo que va a decir, es fácil que eche a perder todo el valor comunicativo de un enunciado como *¡Hombre, me alegro de verte!*, pronunciado con una entonación y un rostro carentes de expresividad. No es preciso estar familiarizado con técnicas de relajación para reducir la tensión del alumnado (o del profesor) cuando sea preciso: cerrar los ojos, ventilar el aula, contar una anécdota, etc., actividades para las que basta un minuto.

¿Qué atención merecen las expectativas del alumnado en cuanto al método didáctico?

Cada GM específico de extranjeros que aprenden ELE (de hecho, cada individuo del grupo) tiene unas expectativas relativas a los objetivos del aprendizaje, el método de enseñanza, los contenidos, el tipo de actividades (en el aula, en casa, extraacadémicas...) y de materiales, la relación académica con el docente, etc. Esas expectativas vienen condicionadas tanto por el concepto de la enseñanza en el país como por la propia experiencia del alumno en otras situaciones de aprendizaje, en especial, de una LE. En la medida en que el profesor conozca esas circunstancias, estará en condiciones de tomar decisiones fácilmente aceptables respecto de la metodología y del programa, en general. En el caso de que el profesor de ELE opte por un modelo didáctico distinto del que están acostumbrados los alumnos –ya sea más innovador o más tradicional que el que el GM esperaba–, es aconsejable que el nuevo modelo se introduzca de manera paulatina, **negociando** con los alumnos (y, si procede, también con otros profesores del Departamento). Se trata, pues, de justificar y hacer comprender la alternativa metodológica.

¿Es preferible una enseñanza explícita o una enseñanza implícita de la prosodia?

¿Es preferible un proceso consciente o inconsciente de adquisición de la prosodia?

Grosso modo, una enseñanza explícita suele relacionarse con una adquisición consciente, y una enseñanza implícita, con una adquisición inconsciente. Cada alumno tiene su propio estilo cognitivo (innato) y sus propios hábitos de estudio (desarrollados, madurados y perfeccionados a partir de su experiencia personal); de modo que tanto provecho puede extraer de una enseñanza implícita un alumno dotado de un estilo de aprendizaje globalizador o analítico (del conjunto a las partes) como de una enseñanza explícita otro alumno dotado de un estilo de aprendizaje sintético (de las partes al conjunto) (cfr. Wennerstrom, 1998: 21). Entonces, en principio, ambos tipos de enseñanza son igualmente válidos, **compatibles** e incluso **complementarios** (Dieling, 1992: 37). Se trata, pues, de explotar los dos alternativamente.

Centrándonos en nuestro marco de acción, en última instancia, de lo que se trata es de que el alumno alcance un buen dominio de los patrones acentuales y de los contornos entonativos. Para ello, necesita oírlos y practicarlos constantemente en situaciones de comunicación lo más reales o verosímiles posible. Ahora bien, para reforzar el proceso de aprendizaje, podemos proporcionarle una descripción de los sistemas acentual y entonativo del español (cfr. Mariscal, 1994: 152). Compaginando ambos procesos puede lograrse una mayor eficacia, dado que cada uno de ellos incide favorablemente en el otro.

Una enseñanza prosódica explícita puede servirse de una amplia gama de recursos materiales, tales como descripciones, dibujos, fotografías o carteles del aparato fonador; espejos; transcripciones prosódicas, indicando acentos e inflexiones tonales; grabaciones del alumno para su posterior comparación con un modelo; etc. Un aprendizaje prosódico consciente, en el caso de estudiantes adultos, ofrece ventajas en términos de cantidad y calidad: permite ganar tiempo y alcanzar un mayor grado de precisión fónica. Ciertamente el conocimiento explícito no se convierte en implícito de un modo automático, pero, al menos, sí abre una vía que posibilita –aunque no garantiza– la interiorización de aquél.

¿El objetivo es la corrección o la fluidez?

Tradicionalmente, se viene dando prioridad a la **corrección**, por encima de la **fluidez**. Lo ideal es trabajar ambos parámetros, sea simultánea, sea alternativamente. La fluidez asume un papel especial en el ámbito de la prosodia: un uso adecuado de las pausas, del ritmo y del tempo[55] contribuyen sustancialmente a mantener un canal de comunicación fluido.

¿Cuáles son las técnicas más empleadas para la enseñanza y corrección de la prosodia?

La técnica más empleada para la enseñanza y corrección de la prosodia ha sido y sigue siendo la **imitación** y **repetición** de unos enunciados modelo. En los métodos y enfoques de orientación conductista

---

[55] La velocidad con que se habla.

la corrección es prioritaria; por ello se recomienda imitación fiel desde la primera clase e introducción de forma controlada de los nuevos patrones de entonación. Con ese proceder se pretende crear buenos hábitos lingüísticos e impedir la aparición de malos hábitos, presuntamente derivados de una espontaneidad excesiva. La repetición tanto puede ser individual como a coro. Principalmente en la época de apogeo del conductismo, se creía que en una fase inicial los estudiantes debían concentrarse exclusivamente en el componente fónico, sin preocuparse al principio por el significado, es decir, una imitación *al estilo loro*. Esta creencia nos parece aceptable en las primeras sesiones de aprendizaje de la LE. Ahora bien, tras esa etapa inicial, la técnica resulta didácticamente cuestionable; aun cuando no se capte el valor semántico de cada palabra, deben quedar claramente definidos el contexto y el valor fonológico (p. ej., declarativo o interrogativo) de los enunciados. En definitiva, la imitación no nos parece la técnica más acertada para adquirir la entonación del ELE por varias razones, p. ej., los alumnos no siempre perciben correctamente lo que deben repetir y una adquisición fónica basada en la escucha e imitación de la LE suele ser demasiado lenta para los estudiantes adultos (Mariscal, 1994: 152). No hay ningún inconveniente en utilizarla como técnica complementaria y esporádica, pero no la emplearíamos de modo sistemático. En éste y en el próximo capítulo de actividades vamos a ir viendo otras técnicas y recursos. Determinadas técnicas son igualmente válidas tanto para la enseñanza como para la corrección; con el fin de no repetirnos innecesariamente, no mencionamos aquí las técnicas que describimos más abajo, en el apartado dedicado a la corrección y evaluación.

Otra técnica usual en la enseñanza de la prosodia es la denominada de **pares mínimos** (*minimal pairs, paires minimales, Minimalpaare*). Esta técnica deriva del binarismo propio de la fonología (tanto estructuralista como generativa), p. ej., una sílaba /± acentuada/ o una curva melódica /± interrogativa/. A partir de esos conceptos, se diseñan actividades sobre pares de unidades como *saltó / salto* o *¿Catalina? / Catalina*.

¿Existe algún sistema para transcribir la prosodia?

Para la transcripción de los sonidos existen convenciones: el alfabeto de la Revista de Filología Española (RFE), el de la Asociación Fonética Internacional (AFI), etc. También para la transcripción prosódica la AFI hace unas sugerencias generales en el Alfabeto Fonético

Internacional (v. Nolan, 1995: 12), p. ej.: emplear el signo [‖] para separar grupos fónicos, el signo [|] para separar grupos rítmicos, el signo [↗] para indicar una elevación del tono y el signo [↘] para indicar un descenso de él. En el ámbito de la didáctica existen **múltiples sistemas** ideados para la transcripción. Cualquiera de las variantes que vamos a ver a continuación entraña menos riesgo de interferencias de la L1 que la grafía convencional. Comencemos por la acentuación. Las **sílabas inacentuadas** y **acentuadas** pueden representarse, respectivamente, mediante:

- Un cuadrado pequeño - un cuadrado grande.
- Una *o* minúscula - una *O* mayúscula.
- Una circunferencia pequeña - una circunferencia grande.
- Un punto pequeño - un punto grande.
- Tipografía normal - negrita.
- Sílaba en minúsculas - sílaba en mayúsculas.
- Una raya de trazo fino - una raya de trazo grueso.
- Un punto - una raya horizontal.
- Un punto - una tilde.

Pasemos ahora a la transcripción de la entonación. En 1775 J. Steele (citado en Crystal, 1987: 170) acomete el primer intento de transcribir de un modo sistemático los entonemas de la lengua inglesa. Desde entonces se han ideado varios sistemas para la representación de las **curvas melódicas**; veamos algunos:

- Inscrita en una renglonadura de tres líneas horizontales paralelas: la línea central representa el tono normal del hablante; las líneas superior e inferior, el tono máximo y mínimo, respectivamente, que puede producir una persona. Otros autores emplean una renglonadura de sólo dos líneas, o bien de cuatro líneas, o bien un pentagrama.
- Una línea superpuesta al enunciado.
- Una línea (de trazo continuo, discontinuo, recta, ondulada o quebrada) por encima o por debajo del enunciado; éste en ocasiones se representa en paralelo a la línea, es decir, con unas sílabas más altas y otras más bajas, según la altura tonal.
- A lo largo del enunciado, o bien al principio de cada grupo fónico, flechas ascendentes y descendentes, que indican la dirección de las inflexiones tonales.
- En rojo las curvas melódicas descendentes y en azul las ascendentes.
- Una curva melódica extraída de un análisis acústico informatizado.

¿Qué ventajas ofrece la combinación de los canales auditivo y visual en las nuevas tecnologías?

Tan **efectivo** es el **canal visual** como el **canal auditivo**, hecho del que se puede sacar partido en la didáctica de la entonación en la LE. Con la tecnología actual es factible integrar ambos canales. Existen programas informáticos que le permiten al alumno visualizar (en una mitad de la pantalla del monitor) en tiempo real la curva melódica que él produce, compararla con el modelo prefijado (que aparece en la otra mitad de la pantalla del monitor) e intentar corregirla a continuación (v. Anderson-Hsieh, 1992: 54). Este proceder puede emplearse también como un instrumento objetivo de evaluación. El empleo de este tipo de programas reporta ventajas como las siguientes:

1. se combate la monotonía de las tareas didácticas convencionales;

2. se elimina cualquier riesgo de interferencia gráfica de la L1;

3. contrariamente a la imagen acústica, la representación visual permanece en la pantalla del monitor el tiempo deseado, lo que permite analizar con calma los aciertos y los errores;

4. el estudiante goza de un grado considerable de autonomía: trabaja a su propio ritmo y durante el tiempo que precise.

Probablemente, la limitación más evidente de este material –y del equipo del laboratorio en general– es que no permite una interacción real en una situación de comunicación auténtica, en la que los interlocutores negocian la entonación. Ello no obsta, sin embargo, para que pueda explotarse en etapas preparatorias o complementarias.

¿Qué otros recursos pueden reforzar el aprendizaje de la prosodia?

Otro tipo de apoyo visual, disponible en cualquier contexto de enseñanza/aprendizaje, es el **lenguaje no verbal**: representar los movimientos tonales relevantes a lo largo del discurso mediante movimientos de la mano, del brazo o incluso de todo el cuerpo; p. ej., indicar un descenso tonal bajando los brazos y flexionando las piernas, o bien un ascenso tonal levantando los brazos y poniéndose de puntillas (Cauneau, 1992: 66). Los esquemas acentuales y rítmicos, por su parte, pueden representarse, p. ej., empleando cada uno su mesa como instrumento de percusión, aplicando un golpe ligero en cada sílaba inacentuada y un golpe un tanto más enérgico en cada sílaba acentuada (Avery y Ehrlich, 1992: 210); o bien andando por la clase, dando una zancada al pronunciar una sílaba acentuada y un paso pequeño al pronunciar una sílaba inacentuada (Taylor, 1993: 165-6). Cuando los alumnos no se limitan a observar, sino que ellos mismos actúan representando con las manos, los brazos, etc., la melodía y el ritmo de la lengua, nos hallamos ante un **apoyo cinético**. Por último, mencionaremos el **apoyo táctil**. Una técnica elemental consiste en palpar con la yema de los dedos la garganta (la propia o la de un compañero) a la altura de la laringe (la nuez) y percibir cómo ésta acompaña las elevaciones y descensos del tono de la voz. Estas técnicas, además de incidir positivamente en la producción de unos patrones acentuales y de unos contornos entonativos determinados, cumplen el importante cometido de recordar al alumno la presencia de la prosodia en la comunicación. En definitiva, un **enfoque multisensorial** parece el más eficaz en la didáctica de la entonación: cuantos más sentidos intervengan en el aprendizaje, tantas más posibilidades de éxito habrá.

¿Qué tipo de práctica –individual, en parejas, en grupo, colectiva...– es más efectiva?

La **práctica individual** (p. ej., repetición de enunciados modelo o diálogo con el locutor de una casete) no es más que una técnica de refuerzo, principalmente en una fase inicial. El verdadero desarrollo de la competencia prosódica sólo será posible en **interacciones reales**, en las que la comunicación suponga una **negociación** continuada entre los interlocutores. Por ejemplo, un hablante muy alterado, que está haciendo una reclamación, se irá calmando, si su interlocutor sabe persuadirlo; de modo que las curvas melódicas exclamativas muy marcadas del inicio dejarán paso a otras prácticamente declarativas: ello debido a la actitud del interlocutor, en parte transmitida mediante la entonación.

Con todo, la práctica **a coro** también tiene cabida en la didáctica de la prosodia. Esta técnica presenta las siguientes ventajas: (1) permite ganar tiempo, ya que todos los alumnos practican simultáneamente –un factor digno de consideración con grupos numerosos– y (2) dado que el grupo cobija al individuo, incluso los más tímidos se desinhiben y participan. Dicha práctica puede llevarse a cabo como mera lectura de un texto escrito, contestando a preguntas del profesor, etc. Este modo de proceder no sería fácilmente aceptado por estudiantes adultos españoles, a quienes probablemente les parecería ridículo e impropio de su edad. Sin embargo, en determinadas culturas, p. ej., en la china, las repeticiones y respuestas a coro van en perfecta consonancia con la enseñanza tradicional, en la que el docente habla o pregunta y los discentes repiten o responden a coro.

A los alumnos que les resulta ingrata una práctica fónica colectiva, conviene garantizarles un margen de **intimidad**, p. ej., práctica individual con una grabación en una cabina del laboratorio. A medida que se vaya consolidando la confianza en sí mismos, se podrán ir integrando en actividades por parejas, en grupos y, finalmente, con toda la clase. A algunos estudiantes (p. ej., a los tímidos) les resulta desagradable exteriorizar en público su estado de ánimo, sus emociones, sus sentimientos, etc., cuestiones esenciales en la práctica de la entonación enfática. Para compensar esta circunstancia en la clase de ELE, se puede recurrir a actividades lúdicas o teatrales, en las que quede protegida la intimidad de los alumnos, ya que no se les pide que expresen sus propios sentimientos y emociones, sino los de un personaje. Esta protección de la intimidad se tiene muy en cuenta en modelos didácticos como el *Sociodrama* de Scarcella o el Enfoque de Interacción Estratégica (*Strategic Interaction*) de Di Pietro (1987). En efecto, el potencial que ofrece el teatro aplicado al ámbito docente es inestimable en múltiples aspectos: léxico, gramatical, pragmático, gestual... y, por supuesto, entonativo. El teatro es, pues, un recurso sumamente valioso para la adquisición, práctica y perfeccionamiento del componente entonativo en una LE; como argumenta García Santos (1988: 11), ofrece una oportunidad única para "la superación del posible miedo a hablar, tan frecuente y tan nefasto, ¡y tan fácil de superar cuando se actúa, cuando uno *se pone la máscara*!".

Recapitulando, la práctica individual y la práctica a coro son técnicas auxiliares válidas en determinadas fases del proceso instructivo. Ahora bien, las que más propician la comunicación real o, al menos, realista, son las conversaciones en parejas y en grupos reducidos.

¿Qué temporización establecemos para los aspectos prosódicos seleccionados?

Proponemos un tratamiento **cíclico**: un aspecto prosódico determinado se presenta y se practica con moderación en una sesión; al cabo de ciertas sesiones se retoma, ampliando la información y variando las tareas. La información nueva difícilmente se asimila por completo la primera vez que se recibe. Por ello, es importante que el alumno tenga ocasión de oír y practicar más de una vez (sin llegar a aburrirse) los aspectos fónicos seleccionados.

Asimismo, conviene **dosificar**. Tanto en la presentación como en la corrección de la prosodia, no conviene tratar más de uno o dos aspectos nuevos simultáneamente, dadas las limitaciones de concentración del estudiante. Un buen dominio de la prosodia no se consigue de la noche al día. El proceso de enseñanza y corrección fónica es, por lo general, largo y arduo; sus frutos se cosechan a largo plazo; exige perseverancia y paciencia, tanto por parte del profesor como del alumno, y **práctica diaria**. En general, una dosis razonable pueden ser 5-10 minutos en cada clase. No solamente es ineficaz, sino incluso psicológicamente contraproducente, machacar durante un tiempo prolongado un mismo aspecto de la pronunciación (Léon, 1966: 75).

¿Trabajamos la prosodia por separado o bien la integramos en la comunicación?

Retomando lo expuesto hasta aquí, un modo de proceder lógico es comenzar la enseñanza del ELE por la entonación y la acentuación; tras unas sesiones de *sensibilización* y *acomodación prosódica*, integrar éstas con el resto del componente fónico; y tras esas sesiones de *sensibilización* y *acomodación fónica*, incorporar los demás componentes del lenguaje oral. Luego, salvo en esa etapa inicial preparatoria, entendemos que lo propio es **integrar** la didáctica de la pronunciación en la globalidad del proceso instructivo.

¿Cómo se implementa esa integración en la práctica docente?, es decir, ¿cómo se puede integrar la prosodia con otros componentes de la comunicación en una tarea didáctica o en la evaluación? Veamos dos sencillos ejemplos:

1. Al aprender una palabra, junto con sus fonemas, significados, registros, etc., se aprende su acentema.

2. Tras oír o ver una grabación, se confecciona un cuestionario en el que aparecen preguntas relacionadas con tantos componentes como se tenga previsto abordar: *¿El helado le ha costado un peso o un beso?* (los sonidos), *¿La última frase es una pregunta o una afirmación?* (la entonación lingüística), *¿Está contento o más bien preocupado?* (la entonación paralingüística, el lenguaje no ver-

bal...), *¿El verbo en presente de la primera frase se refiere a una acción presente o futura?* (la gramática, la pragmática...), etc.[56]

Ciertamente, consideramos que la integración debe ser la tónica general. Ahora bien, ello no obsta para que, en los casos que se estime oportuno, se tome determinados aspectos prosódicos y se les atienda **por separado** en actividades y con materiales diseñados *ad hoc*. Tales actividades no siempre solucionan definitivamente las dificultades prosódicas, su efectividad suele ser más patente a corto plazo. Sin embargo, con ellas se logra, al menos, concienciar al alumno, por una parte, de la existencia de dichas dificultades y, por otra, de su capacidad para ir superándolas. Los progresos que el alumno realice en clase o en el laboratorio durante las actividades de práctica prosódica le infundirán confianza en su capacidad para afrontar y superar las dificultades en ese ámbito.

4.6. El papel del profesor y el de los alumnos

Cuestiones clave

- **¿Qué funciones desempeñan el profesor y los alumnos en el proceso instructivo?**
- **¿Qué margen de responsabilidad asume cada uno de ellos?**

Tradicionalmente la enseñanza ha estado centrada en el profesor. Con la aparición de enfoques como el Humanista y el Comunicativo, surge el concepto de *aprendizaje centrado en el alumno*. Pudiera dar la falsa impresión de que el docente y el discente son dos rivales luchando por la hegemonía en el aula, cuando, en realidad, están del mismo bando, son **aliados**, y su objetivo común es superar los obstáculos de la LE. En principio, cada *aliado* es tan necesario como el otro, si bien en determinados momentos –explicaciones, aclaraciones, escucha y reproducción de un modelo, práctica libre...– uno puede asumir el

---

[56] Brazil (1994) integra sistemáticamente el significado y la pronunciación del texto oral: en cada texto se propone una escucha centrada en el significado, como etapa intermedia entre la escucha centrada en la entonación y la escucha centrada en los sonidos.

papel de protagonista y el otro de espectador/oyente. Incluso cuando un estudiante se hace cargo de su propio aprendizaje tampoco tiene que renunciar forzosamente al asesoramiento de un experto en la LE –un profesor, un especialista del laboratorio de idiomas, un nativo...–.

Pese a los avances tecnológicos (casete, vídeo, ordenador, etc.), el profesor sigue siendo una figura clave en la didáctica de la prosodia de la LE. En primer lugar, es el modelo fónico por antonomasia. En segundo lugar, es quien organiza y dirige las sesiones de enseñanza prosódica y orienta a los alumnos, pues éstos no siempre están en condiciones de saber qué aspectos son matices secundarios (p. ej., dialectales) y qué aspectos son prioritarios, esto es, fonológicamente relevantes y comunicativamente esenciales. Por último, el profesor suministra retroalimentación (*feedback*) relativa al progreso fónico de los alumnos, pues éstos no siempre son capaces de autocorregirse ni, menos aún, de autoevaluarse en este ámbito.

Entendemos que durante la práctica de la acentuación y de la entonación lo propio es que el profesor permanezca a disposición de los alumnos, ayudando cuando él o los propios alumnos estimen oportuno, pero procurando evitar un excesivo protagonismo. En resumen, los papeles principales del profesor en la enseñanza, corrección y evaluación de la prosodia son:

1. **organizador, director** y **supervisor** de las tareas didácticas,
2. **asesor** y **orientador**,
3. **modelo fónico**,
4. **corrector** y **evaluador**.

En la medida de sus posibilidades (edad, nivel de ELE, etc.), también es de esperar que los **alumnos tomen decisiones** referentes a su aprendizaje, colaborando con el profesor. La labor del docente (auxiliado por los discentes) en la didáctica de la acentuación y de la entonación puede seguir el esquema siguiente:

1. Análisis de las **necesidades** del GM y definición de **objetivos** acordes.
2. **Reflexión** sobre los materiales, instrumentos, actividades y técnicas concebidos por especialistas, desde las propuestas más tradicionales de *escuchar* y *repetir* hasta las más modernas y sofisticadas *asistidas por ordenador*, pasando por otras a medio camino, como las de *pares mínimos* (del Audiolingualismo).

3. **Selección**, gradación, secuenciación e inserción en el currículo de las más adecuadas para el GM. En determinadas circunstancias, es posible que se estime preferible diseñar (entre todos) las actividades y los materiales.

4. **Comprobación** de su efectividad real, mediante ejercicios de control, entrevistas, juegos orales, etc.

5. **Reajuste** de técnicas, actividades y materiales, modificando o descartando los que no hayan resultado válidos (quizá lleguen a serlo en otra ocasión con otro GM) e incorporando otros nuevos, con el objeto de someterlos a prueba.

4.7. Las actividades didácticas

Cuestiones clave

- ¿Qué tipos de actividades didácticas existen para trabajar la prosodia?
- ¿Cómo seleccionar las más adecuadas para nuestro GM?
- ¿Qué importancia tiene la contextualización de la prosodia?

En este apartado nos limitamos a presentar una panorámica general del tema, reservando para el próximo capítulo un análisis de la tipología de actividades empleadas comúnmente en la didáctica de la prosodia y una larga lista con nuestras propias propuestas de actividades concretas para la enseñanza y corrección de la acentuación y de la entonación españolas a alumnos extranjeros.

¿Qué tipos de actividades didácticas existen para trabajar la prosodia?

Según el **grado de control** ejercido (por el profesor) sobre las actividades de pronunciación, éstas pueden clasificarse en tres niveles:

1. *Práctica controlada* (de un aspecto determinado): imitación de un modelo (profesor, casete, ordenador...);

2. *práctica guiada:* discurso o interacción preparada de antemano y

3. *práctica libre:* discurso o interacción improvisada, útil para fomentar o consolidar la autoconfianza del alumno.

Parece razonable que, a medida que va aumentando el nivel de ELE de los alumnos, se vayan realizando cada vez más actividades de práctica guiada y posteriormente de práctica libre y cada vez menos de práctica controlada. De todos modos, unas sesiones breves de práctica libre pueden tener cabida ya desde los niveles iniciales. Ciertamente, se pueden realizar actividades lúdicas y emplear materiales atractivos que amenicen el proceso. Sin embargo, un cierto grado de esfuerzo parece inevitable. Ni siquiera la L1 se aprende sin esfuerzo.

En el diseño, selección y puesta en práctica de actividades conviene tener en cuenta no sólo la labor que van a realizar los alumnos (contenidos, procesos, grado de dificultad, etc.), sino también la fase de preparación y contextualización de la actividad. Es primordial que los alumnos comprendan las **instrucciones** a la perfección. Sobre todo en los niveles iniciales, cabe la posibilidad de introducir conceptos y realizar aclaraciones en la L1.

¿Cómo seleccionar unas actividades didácticas adecuadas para nuestro GM?

Como paso previo a la elección o al diseño de una actividad concreta y de su material correspondiente, estimamos recomendable una reflexión en torno a las **similitudes** y **disimilitudes** entre la L1 de los alumnos y el español en el aspecto que se desea abordar. De lo contrario, podría ocurrir que se malgastara tiempo y esfuerzo en abordar aspectos sencillos para nuestro GM (quizá complicados para otro GM), descuidando, al mismo tiempo, otros aspectos más problemáticos. Huelga decir que el profesor siempre debe observar la situación desde la óptica de la L1 de los alumnos: que un aspecto distinto, p. ej., en francés y en español, sea causa de dificultades para un hispanohablante que estudie francés/LE no implica, en modo alguno, que dicho aspecto cause el mismo grado de dificultad a los francófonos que estudian ELE, y viceversa.

La inmensa mayoría de las actividades que aparecen en los materiales de LE para trabajar la acentuación y la entonación están orientadas hacia la vertiente de la **percepción** (*Escucha/lee las palabras/frases y ...*), soslayando la vertiente de la **producción**, no menos importante que la de la percepción. En dichas actividades quienes *producen*, generalmente, son el profesor, los locutores de las grabaciones, etc., pero los alumnos no tienen ocasión más que de *reproducir*.

En la didáctica de la prosodia (al igual que en tantos otros ámbitos) es aconsejable la **variedad** en las actividades: romper la monotonía suele incidir positivamente en la motivación. Por otra parte, dado que cada estudiante tiene un estilo cognitivo propio, una aptitud fónica distinta de la de sus compañeros, etc., conviene asegurar una rica variedad en la tipología de actividades, de modo que todos los alumnos puedan progresar.

Los deberes y trabajos por escrito gozan de una larga tradición. ¿Por qué no proponer también **deberes orales**? P. ej., se puede preparar, ensayar y grabar: un anuncio publicitario, (un fragmento de) una obra de teatro, un discurso sobre un tema de actualidad... He aquí otra propuesta de Celce-Murcia et al. (1996: 312-3): el alumno le entrega al profesor una cinta virgen; el profesor graba un mensaje y se la devuelve al alumno, quien, tras escuchar el mensaje, graba una respuesta, comentario, etc., y le entrega de nuevo la cinta al profesor; éste la escucha, graba una respuesta y algún comentario sobre la pronunciación del alumno y se la devuelve otra vez; y así sucesivamente a lo largo del curso.

¿Qué importancia tiene la contextualización de la prosodia?

Tengamos en cuenta que los patrones acentuales, rítmicos y entonativos de una lengua significan en un plano *ininterpretable* por la semántica de los lexemas, de los modismos, frases, etc.; significan en su plano propio, el fonológico. Por consiguiente, una actividad de pronunciación basada en *logatomos* (palabras inexistentes en la lengua, pero fonotácticamente posibles, p. ej., *tapirol*) o bien en enunciados tarareados puede ser tan (o tan poco) significativa fonológicamente y cognitivamente como cualquier otro tipo de actividad con palabras reales o enunciados pronunciados de forma habitual; además, ofrece la ventaja de concentrar la atención exclusivamente en el componente fónico. (En el próximo capítulo veremos actividades de todos estos tipos.) Luego, las listas de palabras o de enunciados son útiles en una fase inicial, preparatoria, o bien en una fase ulterior, correctiva; en cualquier caso, como complemento o refuerzo. Ahora bien, si nuestro objetivo es que los alumnos sean capaces de vehicular con adecuación mensajes pertinentes entre un emisor y un receptor que mantienen una relación determinada y que se hallan en una situación concreta, es esencial que practiquen la acentuación y los entonación en el seno del **discurso**, en una **comunicación real espontánea**.

4.8. El material didáctico

- ¿Los textos escritos también son apropiados para trabajar la prosodia o deberíamos emplear exclusivamente textos orales?
- ¿Qué tipo de materiales son preferibles: los auténticos o los diseñados expresamente para alumnos extranjeros?
- ¿Los textos orales grabados son tan válidos como el discurso en vivo?

¿Trabajamos la prosodia con textos orales o con textos escritos?

En principio, parecería lógico que la adquisición en clase de aspectos fónicos se basara en la realidad del lenguaje oral, no en la otra realidad del lenguaje escrito. Si los modelos ortográficos los tomamos de los textos escritos, ¿no deberíamos tomar los modelos fónicos directamente del lenguaje oral, sin pasar por el filtro gráfico? Lógicamente, los **textos orales** son preferentes, pero los **textos escritos** también son válidos. Y es que, en general, quien aprende una LE aspira tanto a conversar como a leer y escribir en esa LE. Pues bien, en cada una de las cuatro destrezas –comprensión auditiva y lectora, expresión oral y escrita– intervienen la acentuación, la entonación y los sonidos de la LE. En las destrezas conversacionales resulta más manifiesta su presencia; pero tampoco hay lectura ni escritura sin voz (ya sea alta, baja o interna), una voz que asevera, niega, exclama, pregunta, se alegra, se lamenta, ruega...: una voz con acentuación y entonación. Es más, el estudiante de una LE precisa de la entonación incluso para pensar en dicha lengua. En definitiva, la lectura de diferentes tipos de textos –incluidos los literarios– brinda una excelente oportunidad para una práctica prosódica auténtica integrada en la comunicación.

Un caso especial es el del **acento ortográfico**. En español, como bien sabemos, la tilde, o incluso su ausencia, señala la posición de la vocal tónica de una palabra. Siendo así, el empleo de un texto escrito le proporciona al estudiante de ELE una información valiosa para la adquisición de la acentuación española (siempre y cuando conozca las reglas de pronunciación). Ahora bien, recordemos que en otras lenguas también se emplea el mismo signo u otros parecidos, pero con un valor distinto; pensemos, p. ej., en el caso del francés, lengua en la que la tilde no marca la posición del acento en la palabra, sino el timbre de la vocal (abierta o cerrada) sobre la que se coloca; o en el caso de las transcripciones alfabéticas del chino, en las que la tilde marca un tonema ascendente, es decir, un tono que sube dentro de la misma sílaba (v. Cortés Moreno, 2002c). Se trata, sencillamente, de aclarar a los alumnos extranjeros qué funciones cumple exactamente la tilde en español.

¿Existe algún inconveniente en el empleo de textos escritos?

Lamentablemente, no todo son ventajas en el empleo de textos escritos. Éstos también entrañan un inconveniente considerable: el riesgo de la interferencia gráfica de la L1 en la LE. Esta cuestión es de suma importancia, por las consecuencias que tiene en la competencia fónica de los extranjeros en ELE. El riesgo es palmario en los sonidos de la LE; muchos alumnos de ELE ya están familiarizados con el alfabeto latino, dado que éste se emplea o bien en su propia L1 (o bien en otra LE que han aprendido previamente). El proceso de transferencia opera básicamente así: el alumno tiende a asociar los grafemas de la LE con los grafemas de su L1, si el alfabeto de ambas coincide, al menos parcialmente; el paso siguiente consiste en asociar los grafemas (las letras) de la LE con los fonemas correspondientes de su L1, dando lugar a las denominadas **pronunciaciones ortográficas**, propias de un contexto formal de aprendizaje de la LE, pero ajenas a un contexto natural de aprendizaje de la LE. Este tipo de error suele cometerse con más frecuencia en la lectura en voz alta que en el habla espontánea. Un ejemplo de pronunciación ortográfica es el grafema "z" pronunciado como /z/, en lugar de como /θ/, por eslovenohablantes (v. Cortés Moreno, 1992, 2002d).

Una de las soluciones para evitar la interferencia de la grafía en la producción fónica en la LE consiste en prescindir de los textos escritos durante la fase inicial de adquisición de la LE, alternativa nada fácil de poner en práctica, habida cuenta de la dinámica en los centros de enseñanza, así como de las expectativas de los individuos directa o indirectamente relacionados con el proceso instructivo –docentes, discentes, jefes de estudios, padres de alumnos, etc.–. En mayor o menor medida, en nuestra sociedad todos somos herederos de una secular tradición lecto-escritora.

En el aprendizaje de la **prosodia** del ELE la grafía también constituye un factor de riesgo de **interferencia** de la L1 en ELE. Como sabemos, buena parte de los extranjeros que aprenden ELE ya saben escribir en su L1; una vez que han descubierto la escritura a través del sistema propio de su L1, sienten la necesidad (en especial, los adultos) de apoyarse en ella cuando aprenden otra LE. En muchas otras lenguas (incluso en lenguas tan lejanas de la nuestra como el japonés o el coreano) se emplea prácticamente los mismos **signos de puntuación** que en español: punto, coma, puntos suspensivos, el signo de cierre de exclamación y de interrogación, etc. Siendo así, cuando un extranjero encuentra en un texto español una frase terminada en el signo "?" , aunque no entienda ni una palabra de español, ya sabe que lo que precede es una pregunta. Si ese extranjero empieza a estudiar ELE, como en su lengua también hay preguntas, es posible que de un modo inconsciente transfiera de su L1 un contorno entonativo y lea la frase con la entonación interrogativa característica de su L1.

¿Empleamos materiales preparados para alumnos de ELE o materiales auténticos?

Tanto si se emplea textos orales como si se emplea textos escritos, conviene un **equilibrio** entre materiales preparados para alumnos de ELE y materiales auténticos. Los preparados permiten determinar de antemano los puntos o aspectos que se desea practicar. Los auténticos, por su parte, le brindan al estudiante extranjero la oportunidad de entrar en contacto con discursos auténticos en situaciones reales de comunicación, preparándolo, así, para sus (futuras) interacciones con hispanohablantes.

¿Los textos orales grabados son tan válidos como el discurso en vivo?

Lo cierto es que trabajar con grabaciones conlleva varias ventajas: el alumno puede escuchar una variedad de voces y acentos nativos; puede practicar solo o acompañado y en múltiples lugares; puede volver a escuchar las veces que precise, **sin que varíe la entonación** del locutor; etc. En las grabaciones que se pone a disposición de los alumnos como caudal (*input*) auditivo conviene una amplia gama de acentos (variantes dialectales, sociales y generacionales). Ahora bien, al alumno no se le puede pedir más que una producción homogénea, acorde con una variante culta cualquiera de la LE, no necesariamente la estándar.

Estimamos innecesario seguir hablando sobre las múltiples ventajas del discurso oral en la enseñanza, práctica y corrección de la prosodia, una cuestión de sentido común. En lugar de teorías, presentaremos una larga lista de ejemplos en el próximo capítulo de actividades.

4.9. La corrección y la evaluación

Cuestiones clave

- ¿Debemos corregir los errores prosódicos de los alumnos?
- ¿Corregirlos sirve realmente para mejorar su competencia prosódica?
- ¿Qué momento es el más oportuno para corregir la prosodia?
- ¿Qué técnicas existen para dicha corrección?
- Para corregir, ¿conviene que el profesor hable más fuerte o normal?, ¿más lento o normal?
- ¿A quién corresponde la tarea de corregir la prosodia?
- ¿Cómo se puede evaluar la competencia prosódica?
- ¿A quién corresponde la tarea de evaluarla?

Enseñanza y corrección son dos caras de la misma moneda, aunque, por cierto, caras bien distintas. La *enseñanza fónica* es de carácter *preventivo*, mientras que la *corrección fónica* es de carácter *curativo*. Como vamos a ver, la diferencia entre una y otra es de orden más epistemológico que técnico.

¿Se debe corregir los errores prosódicos?

La severidad con que se corrige, p. ej., las faltas de ortografía contrasta diametralmente con la negligencia de que es objeto –aunque no en todos los métodos y enfoques– la prosodia. La explicación troncal a esta discriminación la hallamos en la tradición lecto-escritora, heredada de la enseñanza de las lenguas clásicas. Con todo, lo cierto es que los errores de ortoepía entorpecen la comunicación oral, al menos, en la misma medida que los errores de ortografía entorpecen la comunicación escrita. Luego, tan lógico parece **corregir** los unos como los otros, siempre procediendo con tacto. En la corrección fónica la justa medida probablemente sea un término medio entre una permisividad excesiva –que favorecería la fosilización– y una severidad obsesiva –que daría al traste con la espontaneidad del alumno–.

¿La corrección prosódica sirve realmente para mejorar la competencia prosódica del alumno?

Con frecuencia, son los propios alumnos quienes nos piden que los corrijamos siempre que se equivoquen. Si los alumnos tienen un nivel excelente de ELE, ello no plantea ningún problema. Ahora bien, si para cumplir su deseo, resulta que debemos interrumpirlos constantemente, el perjuicio psicológico puede ser grave y el beneficio lingüístico, escaso. Luego, conviene negociar con ellos y aclararles que las correcciones del profesor no son la única vía para superar los errores (v. Fernández, 2000: 139); escuchando y conversando en la LE pueden progresar tanto o más aún.

Es corriente que los alumnos logren acentuar y entonar perfectamente durante un ejercicio, pero que después en el habla espontánea disminuya el nivel de corrección. Obviamente, el hecho de que un alumno haya rectificado un error –haya producido una versión correcta de la palabra o del enunciado en cuestión– no garantiza en modo alguno que el error no volverá a presentarse, mucho menos en el habla espontánea. Una sugerencia para enfrentarse a ese fenómeno es pasar gradualmente de la práctica controlada a la práctica libre y, al mismo tiempo, preparar al alumno –p. ej., con explicaciones sobre prosodia y abundante práctica controlada– para la **autosupervisión** (*self-monitoring*) y autocorrección de aquellos errores que él mismo detecte en su propia producción fónica (Avery y Ehrlich, 1992: 215). De todos modos, el hecho de que en una fase determinada del aprendizaje de la LE la producción fónica no mejore o incluso empeore no constituye motivo de alarma, aunque sí de atención. Este hecho se constata en Cortés Moreno (1999a), al pasar del 3.er curso de carrera al 4º. y último curso en un contexto formal de aprendizaje del ELE.

¿Qué momento es el más oportuno para la corrección prosódica?

Dado que un dominio de la acentuación, del ritmo y de la entonación son esenciales para garantizar la comprensibilidad del discurso, nuestra sugerencia sería comenzar la corrección fónica –al igual que la enseñanza fónica– por la prosodia.

En las **actividades de habla controlada**, en que el alumno se limita a la imitación de un modelo, a la lectura de un texto, etc., no vemos inconveniente alguno para que se realice **en el acto** cuantas correcciones se estime oportuno, siempre que no atenten contra la motivación y autoestima del alumno. En lugar de facilitarle directamente la versión correcta, es mucho más efectivo hacerle reflexionar primero al propio alumno: indicarle –mediante un gesto de sorpresa, mediante una entonación interrogativa, etc.– qué sílaba o qué parte del enunciado es incorrecta y, acto seguido, invitarlo a que él mismo realice el trabajo de autocorrección (v. Fernández, 2000: 141-2). Si se estima procedente, a continuación el profesor puede dar una explicación, un enunciado modelo, etc. Estos pasos que acabamos de señalar posibilitan un aprendizaje significativo y, por tanto, efectivo a largo plazo. En las **actividades de habla espontánea**, por el contrario, interrumpir al alumno cuando está concentrado en el contenido de su discurso puede perjudicar la espontaneidad y el desarrollo fluido de la clase, por lo que es preferible **anotar con discreción** las cuestiones oportunas (o grabar el discurso) para comentarlas con él o con todos los alumnos a su debido tiempo. Por último, aquellos **errores** que aparecen de modo **sistemático y generalizado** bien merecen una atención especial en una actividad o en una **sesión** *ad hoc*.

¿Qué técnicas existen para la corrección prosódica?

Para la corrección de la prosodia existen diversas técnicas, que, de hecho, se emplean también en su enseñanza. (V. el próximo capítulo de actividades.) Probablemente, la más tradicional y habitual sea la **imitación** repetida de un modelo hasta lograr aproximarse lo suficiente a él. Otra técnica es la **exageración**, p. ej., de la inflexión final de una curva melódica o de la prominencia en una sílaba acentuada. Con ello se consigue facilitar la percepción (y posterior imitación) por parte de los alumnos.

Para corregir la prosodia, ¿conviene hablar más fuerte o normal?

El hecho de que un alumno no entienda un mensaje oral ciertamente puede deberse a que no haya recibido la señal acústica con la suficiente intensidad (muy floja), p. ej., debido a la distancia que le separa del hablante, en cuyo caso basta con repetirle en **voz más alta**. Ahora bien, en ocasiones el alumno, a pesar de haber oído con la suficiente intensidad, no consigue identificar las unidades fónicas y, por ende, no es capaz de descodificar el mensaje. En estos casos repetírselo en voz más alta es no sólo ineficaz, sino incluso contraproducente, ya que al aumentar la intensidad se minimizan las diferencias prosódicas entre las sílabas. Lo propio, entonces, es una repetición en **voz más baja** y esmerándose en la prosodia, aunque sin caer en la artificiosidad. En efecto, al hablar en voz baja, se resaltan las sílabas acentuadas, base de los acentemas y entonemas. Otro recurso es prescindir de las palabras y sólo entonar la melodía de un fragmento del discurso. De lo que se trata, en suma, es de recurrir a aquellos **modos de elocución** que facilitan la concentración en la prosodia: habla en voz baja, entre dientes, con la boca cerrada, tarareo...

Para corregir la prosodia, ¿conviene hablar más lento o normal?

En principio, consideramos que el *tempo de elocución*, tanto del profesor como de los alumnos, debe ser *normal*, es decir, que se mantenga una velocidad que a los oyentes les parezca aceptable. Sin embargo, cuando surgen dificultades fónicas –tanto perceptivas como productivas– éstas pueden combatirse más fácilmente **reduciendo provisionalmente el tempo** y después repitiendo el fragmento de discurso en cuestión a un tempo cada vez más ligero, hasta recobrar el tempo normal.

Para corregir la prosodia, ¿conviene trabajar con enunciados completos?

No siempre. Una técnica interesante para la corrección de la entonación consiste, precisamente, en **descomponer un enunciado** problemático (p. ej., en grupos rítmico-semánticos) y posteriormente reconstruirlo empezando por el final (lo que Avery y Ehrlich, 1992: 213, denominan *backward building*), p. ej., el profesor va diciendo y el alumno va repitiendo: *aquí / estaba aquí / ayer estaba aquí*. Con la **reconstrucción desde el final** –empleada habitualmente en el método audiovisual y en el verbo-tonal (SGAV)– se logra mantener el esquema rítmico y entonativo. Si, por el contrario, de lo que se trata es de modificarlo, la técnica se invierte, es decir, se procede a una **reconstrucción desde el principio.**

¿Con qué apoyos contamos para corregir la prosodia?

Al igual que en la enseñanza, también en la corrección prosódica resultan apropiados el apoyo **gráfico**, el **cinético**, etc. Veamos unos ejemplos (Baker y Goldstein, 1990, *guía del profesor*: 9-10): para corregir la posición del acento, escribir en la pizarra las palabras que presenten dificultad, señalando con letras mayúsculas grandes las sílabas acentuadas y con letras minúsculas pequeñas las inacentuadas; para corregir la entonación, representarla con movimientos de la mano o dibujando flechas (ascendentes o descendentes, según el caso) en la pizarra.

¿A quién corresponde la tarea de corregir la prosodia?

La concepción tradicional es que la corrección de los errores fónicos es tarea exclusiva del **profesor**. La corrección entre **compañeros**, por otra parte, les brinda a los alumnos la ocasión de comunicarse en torno a la prosodia, desarrollando un metalenguaje práctico y agudizando la consciencia de su propia competencia prosódica. Alcanzados determinados niveles de ELE, la **autocorrección** de la prosodia es una práctica no sólo viable, sino incluso valiosa, entre otras razones, por el grado de responsabilidad que con ella se le transfiere al alumno en su propio aprendizaje. Por otra parte, el período que abarca el proceso instructivo suele ser limitado: como máximo, unos años. Tarde o temprano, el alumno extranjero se enfrentará por su cuenta y fuera del aula con el ELE en diálogos de habla espontánea. Por ello, conviene prepararlo para la autosupervisión y la autocorrección, sensibilizándolo en el ámbito fónico desde el inicio del proceso instructivo y haciéndolo partícipe de su propia corrección, aumentando paulatina y prudentemente su propio marco de acción.

¿Cómo se puede evaluar la competencia prosódica?

Para la evaluación de la competencia prosódica de los alumnos, no se trata, necesariamente, de diseñar **procedimientos** o **actividades** *ad hoc*, sino más bien de aprovechar las empleadas habitualmente para la enseñanza y corrección prosódica; p. ej., una representación visual informatizada de la producción entonativa del alumno comparada con el modelo de un nativo constituye un instrumento útil y objetivo para la evaluación. Ese aprovechamiento o reciclaje de las mismas actividades tiene una clara justificación: antes de la evaluación, el alumno debe haberse familiarizado no sólo con los contenidos (p. ej., la diferencia entre unos entonemas), sino también con los tipos concretos de actividades que va a realizar en la evaluación.

Independientemente del tipo de pruebas por el que se opte, es importante que **todos los aspectos** tratados en el proceso instructivo reciban una atención equilibrada en la evaluación. Si, p. ej., los alumnos estudian tanto la entonación declarativa como la interrogativa, sería impropio que en la evaluación sólo se les pidiera que contestasen a unas preguntas, porque entonces no podrían demostrar su dominio o sus dificultades en la producción de la entonación interrogativa.

Veamos una **propuesta** concreta para la evaluación de la competencia prosódica de los alumnos: a principio de curso cada alumno lee un texto y lo graba en una casete; tras un trimestre de clase, se repite la lectura y la grabación; al comparar las dos versiones, se constata la evolución de la interlengua prosódica o *interprosodia* del alumno, se detectan los problemas y se toman las medidas oportunas para intentar solucionarlos. Periódicamente se realiza también alguna prueba de habla espontánea, en la que el alumno tenga ocasión de dialogar con otras personas.

¿A quién corresponde la tarea de evaluar la competencia prosódica?

Convendremos en que una producción oral *inteligible*, el requisito mínimo en la competencia prosódica, implica que cualquier nativo pueda entender al alumno. No basta con que el profesor habituado a oírlo lo entienda; como tampoco basta con que el alumno entienda la pronunciación (habitualmente, esmerada y lenta) de su profesor. Si el evaluador es una persona que comparte la L1 del alumno, es fácil que éste supere la prueba de inteligibilidad. Si es un profesor de LE el que evalúa, hay que tener en cuenta que los profesores de LE estamos tan familiarizados con los acentos extranjeros de nuestros alumnos, que generalmente los entendemos con facilidad –cada vez mejor, aun cuando no mejoren su pronunciación–, lo que no garantiza que otros interlocutores también los entiendan. Así, probablemente, las personas más indicadas para evaluar la inteligibilidad del alumno serían los interlocutores reales, preferentemente nativos, con los que el alumno conversa o conversará fuera del aula. Con todo, dado que en la práctica los evaluadores somos generalmente los **profesores**, conviene, al menos, no perder de vista estas reflexiones e intentar evaluar no con un baremo personal, sino más bien con uno general, pensando, p. ej., qué dificultades tendría cualquier nativo para mantener una conversación fluida con el alumno en cuestión. En determinados contextos de aprendizaje, especialmente con alumnos adultos, cabe la posibilidad de que el profesor y los alumnos compartan la tarea de la evaluación prosódica, p. ej., confiando una parte de ella al profesor, otra a los **compañeros** y otra al propio alumno, una **autoevaluación** (v. Cortés Moreno, 2000a).

4.10. Recapitulación

A modo de recapitulación, el gráfico siguiente recoge los aspectos clave del capítulo.

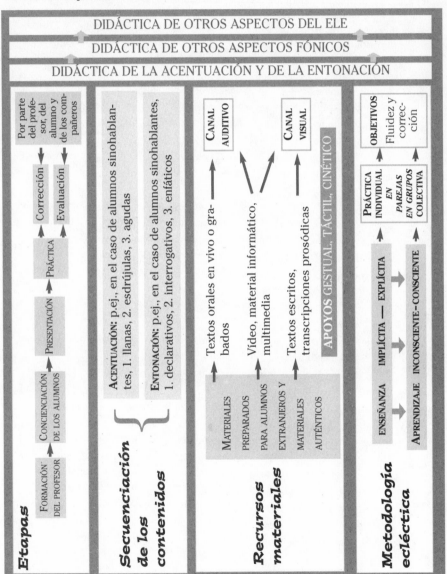

La didáctica de la acentuación y de la entonación en el seno del proceso instructivo del ELE.

ACTIVIDADES

1. A lo largo de su formación como profesor, ¿ha tenido usted las mismas oportunidades de aprender fonética y fonología españolas y didáctica de la pronunciación, en general –incluida la prosodia–, que, p. ej., gramática, léxico o literatura y su didáctica?

2. ¿Considera usted que en las clases de ELE se debería buscar un equilibrio en ese sentido? ¿Qué les parece más importante a sus alumnos?

3. ¿Por dónde empezaría usted la enseñanza fónica?, ¿por qué? ¿Su propuesta sería viable en su centro docente?

4. ¿Conoce usted un buen método para enseñar la acentuación y la entonación?

5. ¿Es usted partidario de una enseñanza explícita o más bien de una enseñanza implícita?

6. En el lenguaje oral, en general, y en materia fónica, en particular, ¿qué le parece a usted más importante, la corrección o la fluidez?

7. ¿Hay alguna técnica que a usted le haya dado buen resultado en la enseñanza y corrección de la pronunciación, en general, y de la prosodia, en particular?

8. En su opinión, ¿las transcripciones prosódicas son útiles para enseñar y corregir? De los sistemas descritos más arriba, ¿hay alguno que le parezca mejor?

9. De entre los siguientes recursos ¿cuál le parece el más efectivo y cuál el más viable en sus clases de ELE?

    a) textos orales   b) textos escritos   c) material informático
    d) apoyo gestual   e) apoyo táctil

10. ¿Qué tipo de práctica le da a usted mejores resultados, como profesor o como alumno de LE?

    a) individual   b) en parejas   c) en grupos   d) colectiva

11. ¿Considera usted que corregir los errores prosódicos sirve (o serviría) realmente para mejorar la competencia prosódica de sus alumnos?

12. De entre los aspectos mencionados en relación con el modo de corregir los errores prosódicos –hablar más bajo o más lento, descomponer y recomponer enunciados, etc.–, ¿hay alguno que le haya llamado la atención?

13. En su opinión, ¿sus alumnos están capacitados para corregir los errores prosódicos de sus compañeros?

14. ¿Diría usted que sus alumnos están capacitados para evaluar la competencia prosódica de sus compañeros?

15. ¿Diría usted que sus alumnos están capacitados para evaluar su propia competencia prosódica?

5. ACTIVIDADES DE ACENTUACIÓN Y ENTONACIÓN

5.1. Tipología de actividades

Cuestiones clave

- ¿Cuáles son los tipos de actividades más comunes y tradicionales en la enseñanza y corrección de la prosodia en una LE? ¿Son efectivos a corto plazo? ¿Y a largo plazo?

- ¿Cómo se explica que las actividades didácticas para el desarrollo de la prosodia sigan siendo, generalmente, monótonas, mientras que, por ejemplo, para el desarrollo del léxico o de la gramática, existe una amplia gama de actividades sugerentes?

¿Qué tipos de actividades son los más comunes en la enseñanza y corrección de la prosodia?

Llama la atención el contraste entre el torrente de ingenio y creatividad vertido en el diseño de actividades encaminadas al desarrollo de, p. ej., el léxico y la gramática y el desaliño en el ámbito prosódico, en el que se siguen empleando preponderantemente ejercicios de *escucha y repite* o bien los clásicos ejercicios de práctica sistemática (*drills*), heredados de los modelos didácticos conductistas. En el mejor de los casos, con ambos tipos de ejercicios –de repetición y de práctica sistemática– puede lograrse una base fónica. Ahora bien, para perfeccionar e interiorizar la competencia fónica, en general, y prosódica, en particular, el alumno debe participar en diálogos reales o, al menos, realistas en habla (semi)espontánea.

Los **ejercicios de repetición** son ciertamente útiles como instrumentos de evaluación, ya que le permiten al profesor comprobar de un modo sencillo en qué medida el alumno es capaz de percibir y reproducir unos modelos, p. ej., una curva melódica. Sin embargo, tienen un inconveniente como instrumentos de adquisición prosódica. El modo de proceder es el siguiente: el alumno escucha y *sin pensarlo* repite. Debido a las premuras impuestas, apenas si puede acceder a sus esquemas de conocimiento desarrollados para la LE (su *interlengua*) y se ve obligado a operar en el seno de la memoria a corto plazo. Aunque el alumno logre acentuar o entonar correctamente en ese momento, a largo plazo no existen garantías de que será capaz de transferir esa acentuación o esa entonación correctas a otra producción oral, máxime si se trata de una actividad de habla espontánea. La razón parece lógica: al alumno no se le ha brindado la oportunidad de operar de un modo activo y consciente con sus conocimientos de la LE almacenados en la memoria a largo plazo: si no ha podido archivar la nueva información fónica del ejercicio, es evidente que tampoco podrá recuperarla cuando la precise. Otra cuestión: ¿qué se debe hacer cuando el alumno escucha pero *no oye bien*?, ¿y cuando oye bien, pero no repite correctamente? Por lo general, esas cuestiones espinosas quedan al libre albedrío del profesor. Conviene, pues, tener en cuenta las diferencias individuales. Para los alumnos dotados de una buena sensibilidad auditiva, es decir, *buen oído*, estos ejercicios pueden ser útiles, ya que cada repetición constituye una ocasión para comparar la propia producción con el modelo, si se le deja tiempo para ello. Sin embargo, a aquellos alumnos con una agudeza auditiva menos afortunada es probable que no puedan aprovecharles tanto para alcanzar el objetivo general de interiorizar hasta un nivel inconsciente los aspectos prosódicos practicados.

El segundo tipo mencionado, los **ejercicios de práctica sistemática**, tienen el mismo objetivo general que los de repetición: la interiorización de unos aspectos prosódicos. El objetivo nos parece válido. Sin embargo, el modo de proceder es cuestionable –entre otras razones, por basarse en un aprendizaje no significativo– y los resultados conseguidos habitualmente con ellos, pobres. En esencia, el procedimiento habitual es escuchar y repetir/contestar, transformando parcialmente. El problema de este aprendizaje –con frecuencia no significativo– se agrava cuando se emplea sistemáticamente, generando aburrimiento y aniquilando la motivación[57]. Por ello, con el objeto de combatir la

---

[57] El autor vivió personalmente la ingrata experiencia de escuchar y repetir durante los 90 minutos de una sesión (primera y última) de esloveno/LE.

monotonía, hay quienes abogan por alternar y combinar diferentes tipos de escucha y/o lectura: de cada enunciado por separado, repitiendo y grabándose a sí mismo para después comparar con la versión de la casete; del texto íntegro (sin mirar la transcripción); repetición de memoria de todo lo que sea posible...

También son habituales en la enseñanza/corrección fónica los **ejercicios de identificación**, p. ej., el alumno tiene que decir si ha oído *canto* o *cantó*. Parecidos son los **ejercicios de discriminación**, en los que el alumno oye dos *ítem* y tiene que decir si son iguales –p. ej., *dejo, dejo*– o diferentes –p. ej., *dejo, dejó*–.

¿Qué otros tipos se emplean para la enseñanza de la acentuación en una LE?

Hemos revisado 190 obras empleadas en la didáctica de un total de nueve lenguas (v. Cortés Moreno, 1999a) y hemos recopilado las actividades que en ellas se proponen para trabajar la acentuación y la entonación. Quede claro que la amplia tipología que presentamos a continuación se debe a la suma de cada uno de los tipos hallados en cada obra: sólo así se explica la rica variedad. Sin embargo, insistimos en que en la mayor parte de los manuales –ciertamente, no en todos– reina la monotonía. Nuestro objetivo principal es poner a disposición del lector una amplia gama de ideas que, esperamos, le sirvan de inspiración para la elaboración de sus propias actividades. Comencemos por las actividades encaminadas a la adquisición de la acentuación en la LE. (En cada tipo citaremos sólo una referencia.)

- Escuchar y repetir una lista de palabras (Castro et al., 1990: 107).
- Leer un texto o una lista de palabras y señalar las sílabas acentuadas (Hewings, 1993, *libro del alumno*: 38).
- Corregir la posición del acento en una lista de palabras (Bowen y Marks, 1992: 59-65).
- Escuchar una lista de palabras y señalar las sílabas acentuadas (Giovannini et al., 1996: 86).
- Transcribir fonológicamente un discurso, colocando los acentos (Pennington, 1996: 165).
- Escuchar y elegir la alternativa correcta (Castro et al., 1991: 170).
- Relacionar palabras (de dos columnas), cuyo patrón acentual coincida (Baker y Goldstein, 1990, *guía del profesor*: 23).

- Clasificar palabras, según el patrón acentual (agudas, llanas, esdrújulas) (Martín Peris et al., 1985: 54).

- Escuchar pares de palabras y juzgar si el patrón acentual coincide o difiere (Gimson y Cruttenden, 1994: 288).

- Dadas unas listas de palabras, descubrir en cada lista una palabra con patrón acentual diferente (Hewings, 1993, *libro del alumno*: 39).

- Tomar unos acentemas (patrones de acentuación) –p. ej., ooOo, ooO (o = sílaba inacentuada, O = sílaba acentuada)– y buscar palabras que cuadren con ellos –en español, p. ej., *caramelo* y *Aragón*, respectivamente– (Bowen y Marks, 1992: 59-65).

- Analizar la movilidad del acento en familias de palabras (p. ej., *foto, fotógrafo, fotográfico, fotografía*) (Baker y Goldstein, 1990, *guía del profesor*: 24).

- Observar la relación entre sílaba con acento tónico y vocal con acento gráfico (Sánchez et al., 1995, *nivel elemental, libro del alumno*: 116).

¿Y qué otros tipos se emplean para la enseñanza de la entonación en una LE?

Pasemos ahora a las actividades encaminadas a la adquisición de la entonación en la LE. Hace ya medio siglo Pike (1948: 43) enumeraba los siguientes ejercicios de entonación: "leer un texto en el que previamente se ha anotado la entonación; leer el texto con un tono invariable, es decir, suprimiendo por completo la entonación; leer el texto repitiendo una y otra vez un único contorno entonativo, después con otro, etc., para lograr un 'control consciente' (*positive control*); hacer dictados de entonación tanto en la L1 como en la LE". Veamos ahora propuestas de otros autores. (También aquí nos limitamos a una referencia en cada caso.)

- Escuchar unos enunciados, concentrándose en la entonación (Taylor, 1993: 168-70).

- Escuchar y repetir (Miquel y Sans, 1994, *libro del alumno*: 10).

- Escuchar un poema y repetirlo tarareándolo (Giovannini et al., 1996: 85).

- Memorizar un poema (Lado y Fries, 1954: 148).

- Escuchar y reproducir el modelo simultáneamente con el profesor (*shadowing*) (Avery y Ehrlich, 1992: 170) o con la locutora de un vídeo siguiendo los subtítulos de la pantalla (Hirschfeld, 1992).

- Leer en voz alta un texto o unas frases en las que se ha marcado la prosodia (Brazil et al., 1980: 136 y ss.).

- Cada alumno se inventa una palabra (p. ej., *blablabla*) y, repitiendo exclusivamente esa palabra, dialoga con su compañero (Wessels y Lawrence, 1992: 33).

- Practicar diálogos en parejas o un alumno con el profesor o con el locutor de la casete (Gehrmann, 1994).

- Practicar un diálogo, adaptándolo a las circunstancias de los propios alumnos (Cauneau, 1992: 54).

- Identificar similitudes y diferencias entonativas entre una serie de enunciados (Brazil, 1994).

- Leer (y grabar) y luego contrastar la propia entonación con la del modelo (Hirschfeld, 1992).

- Escuchar y responder, grabando la producción oral de los alumnos para su posterior análisis (Calbris y Montredon, 1981: 8).

- Identificar los núcleos de unos contornos entonativos (Gimson, 1975).

- Escuchar unos enunciados y decir en cada caso si se trata de un enunciado declarativo o bien de una pregunta (Mariscal, 1994: 153).

- Escuchar unos enunciados y señalar en cada caso de cuál de las opciones escritas se trata (Giovannini et al., 1996: 87).

- Escuchar unos enunciados y decir en cada caso si el contorno respectivo tiene un final ascendente, descendente o suspendido (Callamand, 1974).

- Leer un diálogo del libro y reflexionar sobre dónde se encuentran las inflexiones tonales (Neuner et al., 1979, *nivel 1, libro del profesor.* 21).

- Transformar, reconstruir o crear frases o diálogos siguiendo un modelo (Mariscal, 1994: 153).

- Repetir unos enunciados, acompañando la entonación con movimientos de la mano (Artuñedo y Donson, 1995, *guía didáctica*: 10).

- Escuchar unos enunciados y observar las transcripciones entonativas respectivas (Bourdages et al., 1987: 151).

- Escuchar varios enunciados y escoger el correspondiente a la curva melódica que aparece dibujada en el manual (Sánchez et al., 1988: 176).

– Escuchar un diálogo y colocar los signos de puntuación pertinentes (.), (¡!) o (¿?) en una transcripción (Celce-Murcia et al.,
1996: 146).

– Escuchar o leer un texto y transcribir la entonación (Hewings,
1993: 64).

– Dado un texto escrito con su correspondiente transcripción entonativa, explicar el sentido de unas inflexiones tonales (Mott,
1991: 278).

– Pares mínimos (discriminación, según el contexto), p. ej., al alumno se le presenta dos preguntas y una respuesta para que él decida cuál es la pregunta más probable en ese contexto (Pennington,
1996: 165-6).

– Escuchar una grabación y después contestar un test de elección
múltiple acerca de la actitud de los participantes, las circunstancias en que se hallan, etc. (Calbris y Montredon 1981: 11).

– Dividir en grupos fónicos unas frases escritas y analizarlas ento-
nativamente, es decir, señalando en cada contorno la inflexión
inicial, el cuerpo y la inflexión final (Mott, 1991: 277).

5.2. Propuestas concretas de actividades

Cuestiones clave

• **Variando constantemente los componentes que configuran una
tarea didáctica –objetivos (intercambiar información, clasificar...), distribución de los alumnos (parejas, grupos...), materiales (vídeos, fichas...), grado de dificultad y concentración
(tareas complejas, lúdicas...), etc.–, ¿sería posible lograr una
práctica creativa y motivadora de la prosodia, en el marco de
un aprendizaje significativo?**

En este apartado presentamos nuestras propias propuestas para la
enseñanza, corrección y evaluación de la acentuación y de la entonación en ELE. En los enunciados de los ejercicios procuramos evitar el
tono autoritario de las tradicionales fórmulas *escucha*, *repite* y demás
imperativos. Lo más importante de los ejercicios, claro está, no es la

forma, sino los objetivos, el contenido de los mismos, el método propuesto, el papel activo del alumno y, por supuesto, su efectividad.

El objetivo general de estas actividades es que los alumnos desarrollen la competencia acentual y entonativa en ELE en su doble vertiente: perceptiva y productiva. Como ya explicamos más arriba, el trabajo con palabras y enunciados sueltos es útil en una fase inicial, preparatoria, y también como refuerzo, para perfeccionar y corregir cuestiones puntuales. Ahora bien, si nuestro objetivo es que los alumnos desarrollen una auténtica competencia prosódica, es esencial que practiquen en diálogos lo más reales posible. Con este objetivo en mente, hemos elaborado buena parte de las actividades que presentamos aquí. En ellas, además de la prosodia, se trabaja de pasada no solamente el resto del componente fónico (básicamente, los sonidos), sino, de hecho, el lenguaje oral en general, de modo que la prosodia queda integrada en la globalidad del sistema comunicativo oral.

En determinados casos, no nos damos por satisfechos con saber que una alternativa es correcta y las otras incorrectas, sino que aspiramos a una explicación: el porqué de la elección, en qué estriba la diferencia entre uno y otro acentema o entonema, etc.; en definitiva, pasar de un plano intuitivo (de innegable validez) a un plano cognitivo (no menos valioso), paso que fomenta la seguridad de muchos alumnos, especialmente de los adultos. En algunos casos (p. ej., en la actividad de "lógica entonativa" del apartado 5.2.2.) hay más de una alternativa correcta, con el fin de ofrecerle al alumno la oportunidad de reflexionar sobre el empleo de una u otra entonación.

Las actividades que presentamos aquí van dirigidas a estudiantes de ELE en general[58]. Será el propio profesor quien decida cuáles de ellas son directamente utilizables por su GM, cuáles precisan de una adaptación y cuáles son inadecuadas. Ello depende, entre otros factores, de cuál sea la L1, la edad y el nivel de ELE de los alumnos, así como de los recursos materiales del centro docente.

Dado que la entonación es un fenómeno más complejo que la acentuación, hemos decidido elaborar más actividades para trabajar aquélla que ésta. Algunas propuestas están tomadas directamente, o con alguna modificación, de las actividades lúdicas infantiles o juveniles (p. ej., el juego de los personajes, o el del teléfono). No nos cabe la menor

---

[58] Para ejemplos de actividades de acentuación para anglohablantes que estudian ELE, v. Cortés Moreno (1996); para corrección fonética dirigida a eslovenohablantes, v. Cortés Moreno (1992).

duda de que si el lector se lo propone, él mismo podrá crear sus propias actividades a medida de sus propios alumnos. Confiamos que las listas del apartado 5.1. le servirán de inspiración para esa labor tan gratificante que es la elaboración de actividades. Los alumnos, por su parte, con su inagotable torrente de imaginación, también pueden colaborar en la tarea; y ¿cómo no? nuestros colegas del Departamento de Español o incluso de otros departamentos. Entre todos la tarea será más fácil y más fructífera.

5.2.1. ACTIVIDADES DE ACENTUACIÓN

A. Antes de operar con palabras auténticas, nos serviremos de *logatomos* (palabras inexistentes en el diccionario, pero fonotácticamente posibles, ya que respetan las reglas fonológicas del español), con el objeto de que los alumnos se concentren en la acentuación y se despreocupen, pero sólo de momento, de la gramática, del significado, etc. Los alumnos se colocan por parejas (alumnos A y B), a cada uno le entregamos una fotocopia con su hoja respectiva. A y B practicarán tanto la producción como la percepción acentual.

Alumno A	Alumno B
Tu compañero tiene estas mismas palabras en su lista, pero no sabe dónde está acentuada cada una. Tú puedes ayudarle, si se las lees acentuando las sílabas subrayadas.	Tu compañero te va a leer las palabras siguientes. Si escuchas con atención, oirás cuál es la sílaba acentuada de cada palabra, y así podrás subrayarlas en tu lista.
Ceci, mape, duco, tato meño, tera, juto, tamese, feretu, tepace, jaremu, perufo, sinopo, namito.	*Ceci, mape, duco, tato meño, tera, juto, tamese, feretu, tepace, jaremu, perufo, sinopo, namito.*
Ahora él te va a leer las palabras siguientes. Si escuchas con atención, tú también podrás subrayar la sílaba acentuada de cada palabra.	Ahora te toca a ti leerle a tu compañero las palabras siguientes (él tiene una lista igual, pero sin sílabas subrayadas), acentuando bien la sílaba subrayada de cada palabra.
Siroco, tilefu, jariso, balute, molasi, ciraso, reguno, peceja, veñuji, lirexi, llazurre, juche.	*Siroco, tilefu, jariso, balute, molasi, ciraso, reguno, peceja, veñuji, lirexi, llazurre, juche.*

B. Para realizar el siguiente ejercicio, no es imprescindible que el alumno conozca estos términos: *aguda, llana, esdrújula*. Es suficiente con que sepa en qué sílaba se acentúa la palabra en cuestión.

Si te fijas en las palabras siguientes, verás que unas tienen el acento en la última sílaba; otras, en la penúltima; y otras, en la antepenúltima. Siguiendo los ejemplos, ¿sabrías poner cada palabra en la columna adecuada?

Actual, adecuado, afección, ánimo, astuto, carrera, casualidad, conductor, depósito, devolver, discurso, educación, formal, genial, habitación, injuria, romance, lectura, noticia, miseria, profesor, realizar, cuestionar, espectáculos, simpático, extranjero, establecimiento, pértiga, semáforo, médico.

Palabras acentuadas en la última sílaba	Palabras acentuadas en la penúltima sílaba	Palabras acentuadas en la antepenúltima sílaba
ej. mate*rial*	ej. merme*la*da	ej. *más*cara
–	–	–
–	–	–
–	–	–
–	–	–

¿Existe en tu lengua (o en otra lengua que tú o tu compañero sepáis) palabras parecidas a las de la lista? ¿Significan lo mismo que en español?, ¿y tienen el acento en el mismo sitio?

C. El profesor dice dos palabras y los alumnos deben decidir si se trata de la misma palabra repetida, o bien de dos palabras diferenciadas sólo por la posición del acento.

1. busque, busque	2. cantó, canto	3. salto, saltó	4. vino, vino
5. piso, pisó	6. digo, digo	7. buscó, busco	8. espere, esperé
9. dígalo, dígalo	10. cantara, cantará	11. término, termino	12. saltara, saltará

D. Un alumno lee la siguiente lista de palabras y los compañeros subrayan la sílaba acentuada. La corrección se puede realizar conjuntamente en la pizarra o en una transparencia.

Por favor, observa con atención la lista que tienes a continuación y busca las palabras que se parezcan a otras palabras de tu lengua (o de otra lengua que tú o tu compañero sepáis). Si subrayas las sílabas acentuadas en español con un bolígrafo azul y las sílabas acentuadas en tu lengua (o en otra que tú o tu compañero sepáis) con un bolígrafo rojo, podrás ver en qué casos coincide la posición del acento en las dos lenguas y en cuáles no.

Acomodación, acostar, apología, comprensivo, concreto, conferencia, contento, conveniente, desinteresado, efectivamente, espada, eventualmente, éxito, gusto, ingenuidad, manejar, mayor, cuestionar, suburbio, suceder, práctico, hospital, interesante, legal, política, actual, clínica, diente.

E. El siguiente ejercicio vuelve a insistir en la posición del acento prosódico y puede servir como introducción a las normas para el empleo del acento ortográfico.

Esta lista de palabras va a ayudarte a descubrir tres cosas:

- diferencias de significado entre palabras de tu lengua (o de otra que tú o tu compañero sepáis) y españolas parecidas;
- diferencias en la posición del acento en las dos lenguas;
- la 3ª. ya la veremos después.

> Abusar, agonia, atender, comodidad, complaciente, complexion, contestar, dinamico, expectacion, extravagante, lectura, realizacion, espectaculos, conveniente, actual, ambicion, bachiller, carton, conferencia, colegio, dormitorio, establecimiento, eventual, gracioso, habitacion, crimen, introducir.

Para empezar, puedes escribir las palabras de la lista, poniendo en mayúscula la vocal acentuada, p. ej., abusAr, agonIa. ¿Te atreves a seguir tú?

Cuando hayas terminado, puedes subrayar en cada palabra la vocal que se acentúa en tu lengua (o en la otra lengua que tú o tu compañero sabéis). Así verás las diferencias.

¿Has notado algo raro en las palabras de la lista? No hay ninguna tilde ('), ¿verdad? Pero tú ya sabes que en español algunas palabras llevan ese signo encima de una vocal (á, é, í, ó, ú). ¿En qué vocales de la lista pondrías una tilde?

F. Entregamos a los alumnos la siguiente lista de palabras:

> Abatir, ambición, audiencia, competencia, contemplar, devolución, discutir, disparate, educación, estorbar, gracioso, intentar, envidioso, librería, peculiar, pretender, recordar, remover, sensible, soportar, tender, pérdida, sombrero, torero, sensato, pértiga, esternón, médico, piloto, tendero.

En la realización de este ejercicio puede participar toda la clase a la vez, ya sea como miembros del jurado, ya sea como voluntarios en la pizarra. Necesitamos un alumno (A) que leerá la lista de palabras, dejando un margen de tiempo para que el alumno (B) realice su trabajo, que consistirá en colocar por orden a sus compañeros (C, D, E y F). C debe ser un alumno alto y simboliza la sílaba acentuada; los demás alumnos representan las sílabas átonas y es preferible que sean de altura parecida. C, D, E y F están de cara a la pizarra y B se coloca detrás de ellos, de manera que todos los alumnos –de pie o sentados– estén orientados hacia la pared donde se encuentra el encerado. Con esta orientación a todos les resulta más fácil visualizar mentalmente la correspondencia entre la escritura en español (de izquierda a derecha) y la posición de los alumnos (símbolos de las sílabas, también en el mismo orden). Veamos unos ejemplos.

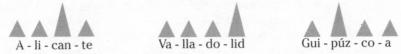

A - li - can - te   Va - lla - do - lid   Gui - púz - co - a

Podemos pensar en otras variantes de este ejercicio y escoger la que más convenga, p. ej.:

a. Hacer equipos de 6 alumnos y entregar a cada equipo una lista de 10 palabras. Los equipos pueden competir simultáneamente (p. ej., uno en cada rincón del aula) o bien uno después de otro y el profesor puede controlar el tiempo que tarda cada equipo en completar el ejercicio. Para la puntuación se puede tener en cuenta el tiempo empleado y el número de aciertos.

b. Hacer grupos de 5 alumnos (prescindiendo de B). A va leyendo la lista y los demás se colocan ellos mismos en la posición adecuada para cada palabra.

c. Cada alumno desde su asiento lee una palabra de la lista y un alumno situado de espaldas a sus compañeros y de cara a la mesa del profesor distribuye en el orden adecuado cuatro objetos que previamente hemos colocado sobre dicha mesa, p. ej., tres botellas pequeñas y una grande.

He aquí dos alternativas de planteamiento: 1/ Hacer listas independientes de bisílabos, trisílabos, etc., con lo cual evitamos que sobren alumnos u objetos en algunos casos. 2/ Mezclar todas las palabras (como en la muestra de arriba) y, en los casos en que sobren alumnos u objetos los separamos o se separan de las demás *sílabas* durante la realización del ejercicio.

G. ¿Puedes imaginarte una sílaba inacentuada como un triángulo pequeño y una acentuada como un triángulo grande? Las siguientes listas te pueden ayudar. El profesor te va a leer cada palabra y después puedes repetir tú junto con tus compañeros.

ad	jun	tar	ba	rra	ca	pá	ja	ro	di	bú	ja	lo
a	sis	tir	co	le	gio	dí	me	lo	ha	cién	do	los
a	ten	der	en	cues	ta	cán	ta	ro	ol	ví	da	la
ba	chi	ller	lu	ju	ria	pén	du	lo	es	cú	cha	la

H. Aquí tienes unas cuantas palabras. ¿Te apetece dibujar triángulos y luego clasificar las palabras como en el ejercicio anterior?

Carácter, cítrico, complexión, murciélago, conceder, consignar, contento, contestar, península, decepción, disgusto, estorbar, endosar, eventual, semáforo, instancia, pariente, matrona, pedante, resumen, plátano, resolver, dibujar, lámpara, África, pomelo, fantástico, arándano.

I. Al añadir pronombres enclíticos a las formas verbales, la posición del acento no varía. El siguiente texto es una *tarjeta de invitación* a la reflexión sobre esa cuestión. P uede presentarse tal cual en la pizarra, en fotocopias, en transparencias, con el ordenador y un proyector, etc. ¿Conseguirán nuestros alumnos inducir la regla?

Como siempre, Héctor no pensaba más que en jugar. Su papá deseaba dedicarle todo el tiempo, pero sus múltiples ocupaciones iban impidiéndoselo día a día. Héctor insistía preguntándole a su papá que cuándo podría atenderlo. Después de oírlo tantas veces, comprendió que ya era hora de contarle un cuento. Acercándosele por detrás y tapándole los ojos, le dijo: siéntate y escúchame con atención, voy a contarte el cuento del lobo y los tres cerditos. Érase una vez...

J. Durante unas cuantas clases anotamos las palabras que oímos mal acentuadas en clase. A su debido tiempo, las organizamos, las presentamos en clase (p. ej., en una transparencia) mal pronunciadas e invitamos a los alumnos a que entre todos intenten corregirlas.

K. En cada línea todas las palabras, excepto una, están acentuadas en la misma sílaba. ¿Crees que podrás descubrir las *intrusas*?

a. Cartón, camión, dulce, formal, mayor, tender, legal, amistad.
b. Abusar, advertir, conjurar, demandar, instancia, ciudad, fatal, sirvió.
c. Alguno, comodidad, terminado, pasean, divertido, preferimos, siempre, cuando.
d. Aristocracia, beben, puerta, aguja, alfiler, coche, piscina, montaña.

L. Los alumnos toman una pelota y se disponen en círculo; un alumno (A) dice una palabra (p. ej., *preciosa*) y le echa la pelota a otro (B); B debe decir otra palabra cuyo patrón de acentuación concuerde con el de la 1ª. palabra (p. ej., *querida*); B piensa otra palabra cualquiera, ya sea con el mismo patrón de acentuación, ya sea con otro distinto, y le echa la pelota a C...

LL. BINGO TÓNICO

1. Entregamos a cada alumno una ficha como ésta.

2. Con el retroproyector o en la pizarra mostramos esta lista de palabras que admiten el acento en tres posiciones.

ánimo	*animo*	*animó*	*apóstrofe*	*apostrofe*	*apostrofé*
árbitro	*arbitro*	*arbitró*	*célebre*	*celebre*	*celebré*
depósito	*deposito*	*depositó*	*término*	*termino*	*terminó*
capítulo	*capitulo*	*capituló*	*diagnóstico*	*diagnostico*	*diagnosticó*
crítico	*critico*	*criticó*	*depósito*	*deposito*	*depositó*
rótulo	*rotulo*	*rotuló*	*estímulo*	*estimulo*	*estimuló*
número	*numero*	*numeró*	*cántara*	*cantara*	*cantará*

3. Cada alumno toma palabras al azar y rellena su ficha. He aquí un ejemplo de ficha rellenada:

capítulo	*apóstrofe*	*diagnóstico*
criticó	*depósito*	*rotuló*
numero	*estímulo*	*árbitro*

4. Se pide un voluntario para hacer de crupier, es decir, para ir leyendo al azar palabras de la lista y... ¡que empiece el juego!

M. DOMINÓ TÓNICO.

DOMINÓ TÓNICO. Se trata de una adaptación del tradicional juego del dominó. Cada ficha tiene en una mitad una palabra y en la otra un acentema representado mediante triángulos, tal como hemos visto en la actividad G. Para poder colocar una ficha junto a otra, es preciso que coincida el acentema de la palabra con la representación gráfica mediante triángulos, tal como muestran las flechas. Aquí tenemos las 28 fichas bien colocadas.

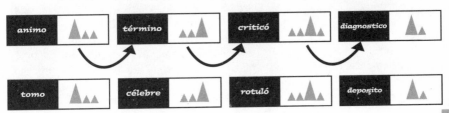

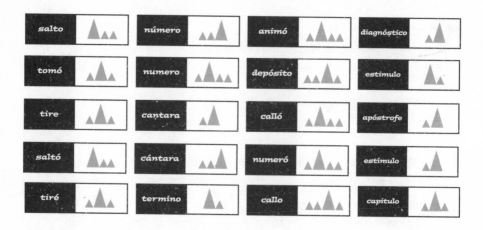

N. Ésta es una actividad con apoyo cinético. Si los alumnos son de nivel inicial-intermedio, con el retroproyector proyectamos el siguiente texto (o lo escribimos en la pizarra), en el que hemos subrayado los acentos de palabra fónica, y lo leemos a coro, dando un ligero golpecito en la mesa cada vez que lleguemos a una sílaba acentuada.

El humor es la salsa de la vida. El humor se manifiesta de diversas formas a través del lenguaje: chistes, anécdotas divertidas, exageraciones, trabalenguas, piropos, etcétera. La vía principal (aunque no la única) de transmisión de todos esos componentes de nuestra cultura popular es de boca en boca. El humor está presente en la calle, en la prensa, en la televisión...

Si los alumnos son de nivel intermedio-avanzado, preparamos un texto en el que suprimimos los acentos gráficos (las tildes), como hemos hecho en el texto de abajo, lo proyectamos con el retroproyector (o lo escribimos en la pizarra) y lo leemos a coro, dando un ligero golpecito en la mesa cada vez que lleguemos a una sílaba acentuada.

Esto es un caballo que entra en un bar y pide un whisky. El camarero, muy sorprendido, se lo sirve. Mientras el caballo se lo toma, el camarero no para de mirarlo. Cuando termina, el caballo le pregunta al camarero que cuanto es. El camarero le contesta que son 10 euros. El caballo paga y antes de marcharse le pregunta al camarero que por que lo ha estado mirando todo el rato con esa cara de asombro. El camarero le contesta: "Perdone usted, pero es que no estoy acostumbrado a ver muchos caballos en el bar". Y el caballo le replica: "Ya, con estos precios, no me extraña".

Ñ. ACENTO ENFÁTICO. Se trata de una actividad lúdica para trabajar el énfasis. Un alumno piensa una palabra y se la dicta al profesor para que la escriba en la pizarra. El profesor finge que no oye bien y se equivoca a propósito, cambiando alguna(s) letra(s) de la palabra. Entonces el alumno debe repetírsela, poniendo de relieve la parte errónea; p. ej., el alumno dicta *lista* y el profesor escribe *vista*; entonces el alumno insiste *lista*, no *vista*; el profesor corrige y sigue el juego otro alumno. Después de hacer unos ejemplos entre todos, seguimos el juego en grupos o en parejas.

5.2.2. ACTIVIDADES DE ENTONACIÓN

En este apartado presentamos por orden alfabético una serie de actividades de entonación. Reconocemos que la preparación de algunas de ellas requiere tiempo, pero no nos cabe la menor duda de que muchos alumnos estarán encantados en colaborar.

AMIGO INVISIBLE

Para practicar la entonación en las enumeraciones completas, que típicamente tienen una inflexión ascendente en cada palabra fónica, excepto en la última, que es descendente.

Tú no lo sabes, pero hay un personaje invisible que quiere ser tu amigo. Él te va a contar cosas para que empieces a conocerlo ¿Aceptas su amistad? ¿Quieres contestar a sus preguntas?

1. *Yo tengo 3 hermanos: David, Virginia y Mónica. ¿Y tú?*
2. *En mi país se habla español, gallego, vasco y catalán. ¿Y en tu país? ¿Y en América?*
3. *Este año estoy estudiando Matemáticas, Geografía, Ciencias Naturales, Lengua española, Dibujo y Música. ¿Y tú qué estás estudiando este año? ¿Y el año pasado?*
4. *A mí los programas de televisión que más me gustan son A ciencia cierta, Informe Semanal, Redes, A su salud y El secreto. ¿Y a ti cuáles te gustan más?*
5. *A mí me gustaría ir de vacaciones a Canadá o a Japón o a Polonia. ¿Y a ti?*
Bueno, y ahora ¿quieres preguntarle algo tú a él?

APOYO CINÉTICO

O bien el profesor, o bien un alumno hace un pequeño discurso sobre un tema de actualidad o bien cuenta un cuento (o lee un texto), haciendo una pausa al terminar cada grupo fónico. Si el final del grupo fónico es ascendente, los alumnos levantan la mano; si es descendente, la bajan; y si es llano (suspendido), la mueven horizontalmente. En el siguiente ejemplo representamos con flechas los movimientos que los alumnos harían con la mano:

- *¡Héctor!* ↘ *¿Dónde te habías metido?* ↘
- *Estaba buscando mi diccionario.* ↘
- *¿No está en tu habitación?* ↗
- *No* ↘
- *Pues entonces...* →

APOYO GRÁFICO

Una variante de la actividad anterior. En lugar de mover la mano, los alumnos dibujan flechas como las que aparecen en el ejemplo que acabamos de ver.

APRENDICES DE ACTORES

Escoger entre todos una película en vídeo y seleccionar alguna escena. Hacen falta tantos voluntarios como personajes intervengan en la escena. Cada voluntario asume el papel de un personaje. Se pone el vídeo y se ve la escena completa. Después se ve otra vez, pero haciendo pausas muy frecuentes, preferiblemente después de cada enunciado, con el fin de que los alumnos tengan tiempo de memorizar las palabras de su personaje y repetirlas, atendiendo a los sonidos, a los acentos, al ritmo y a la entonación. Al terminar la escena, otros alumnos reemplazan a los actores de la primera escena y, así, todos tienen ocasión de participar. Una variante es plantear la actividad como un concurso, como un *casting*, para entre todos escoger a los alumnos que mejor hayan interpretado su papel. Si los alumnos son de niveles iniciales, en lugar de repetir las palabras exactas, basta con que tararéen los enunciados con una entonación adecuada.

BURLAS

Aquí las burlas son por una buena causa didáctica. Permitamos que los alumnos jueguen a ser humoristas y que imiten a personajes famosos: políticos, cantantes, deportistas... o, más divertido aún, a algún profesor. Esta actividad lúdica suele resultarles motivadora; una vez que se integran en ella, no pocos son capaces de imitar con gracia gestos, locuciones típicas, el timbre de la voz... El objetivo aquí, claro está, es imitar la entonación. Para facilitar la tarea, conviene permitirle al imitador que escuche las veces que haga falta alguna grabación del personaje elegido.

CANCIONES

Un material ideal para trabajar la melodía de la voz de forma lúdica. Sobre todo en los niveles iniciales, tararear la letra de una canción constituye un ejercicio preparatorio para, posteriormente, seguir con el juego y tararear enunciados, p. ej., tras escuchar algún modelo.

CINE MUDO

Seleccionar (un fragmento de) una película muda, escribir un posible diálogo para los personajes que intervienen, ensayar y, por último, ponerles voz a los personajes mudos de la pantalla. Una variante más fácil es escoger (un fragmento de) una película hablada, copiar el diálogo, ensayar y, a la hora de representar, suprimir el sonido original de la película.

CLASIFICACIÓN ENTONOLÓGICA

Preparamos un sencillo diálogo compuesto por 10 enunciados, en los que aparecen las cuatro entonaciones básicas: declarativa[59](.), exclamativa (!), interrogativa (?) y suspendida (...). Dos voluntarios, (A) y (B), leen el diálogo enunciado a enunciado, haciendo una pausa tras cada uno. Antes de cada enunciado, el profesor lee el número, para que el resto de los alumnos puedan anotarlo en su ficha, tal como ya hemos hecho nosotros más abajo. Según el nivel de los alumnos, podemos pedirles a los voluntarios que ensayen un poco antes de leer en público.

1.- (A) ¿Cuándo vendrá tu tía?	6.- (B) La verdad es que no te entiendo.
2.- (B) Supongo que en Navidad.	7.- (A) Te lo preguntaba, porque...
3.- (A) Pues si viene en Navidad...	8.- (B) ¿Quieres hablar claro?
4.- (B) ¿Acaso te parece mal?	9.- (A) ¡Pero déjame que te explique!
5.- (A) ¡Qué cosas tienes!	10.- (B) ¡Pues habla ya de una vez!

¿Sabes qué es la *entonación*? Es algo así como la música de la lengua. Ahora vamos practicarla. Dos compañeros van a leer un diálogo compuesto por 10 enunciados. Antes de cada enunciado, el profesor va a decir un número, que tú vas a anotar en uno de los cuatro cuadros de tu ficha (A, B, C y D). ¿En cuál de los cuatro? Basta con que prestes atención a la entonación de cada enunciado y luego pienses a cuál de las cuatro líneas que tienes dibujadas se parece más; p. ej., 1 - A.

---

[59] Recordemos que no todas la preguntas tienen una entonación interrogativa. Las preguntas pronominales, como *¿Cuándo vendrá tu tía?*, tienen una entonación no interrogativa, prácticamente como la de un enunciado declarativo.

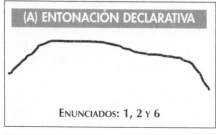

(A) ENTONACIÓN DECLARATIVA

ENUNCIADOS: 1, 2 Y 6

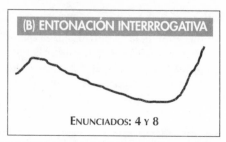

(B) ENTONACIÓN INTERRROGATIVA

ENUNCIADOS: 4 Y 8

(C) ENTONACIÓN SUSPENDIDA

ENUNCIADOS: 3 Y 7

(D) ENTONACIÓN ENFÁTICA

ENUNCIADOS: 5, 9 Y 10

CONCURSO DE ANUNCIOS

Individualmente o en parejas, crear (o seleccionar de la tele) un anuncio, ensayarlo y, finalmente, grabarlo (a ser posible en vídeo) o representarlo en vivo en un concurso en clase. Ni que decir tiene que deben prestar mucha atención a la entonación, pues de ella depende en buena medida que el anunciante logre o no persuadir al espectador.

CONFIDENCIAS CON APOYO TÁCTIL

Cada alumno se coloca frente a un compañero de confianza y en un minuto le cuenta entre dientes o con la boca cerrada algún secreto, algún problema íntimo, etc. (real o ficticio). El compañero consejero va a escucharlo con atención, pero no va a entender las palabras que le dice su amigo; sin embargo, colocando la yema de los dedos en la garganta del compañero, podrá percibir a través de su propio esqueleto cómo sube y baja el tono de la voz de su amigo. De momento, se conformará con imaginar el problema. Después de ese minuto, cuando seguramente ya se habrá despertado la curiosidad, los alumnos disponen del tiempo suficiente para aclarar de qué se trata y buscar una solución.

DEBATES APASIONANTES

Es absolutamente imprescindible una selección esmerada de los temas entre todos. Al profesor pueden parecerle temas idóneos, p. ej., el machismo, la discriminación positiva, el racismo, el aborto, el servicio militar, etc. Sin embargo, es posible que, debido a la edad o al entorno social de los alumnos, existan otros temas de mayor interés para ellos. Si los temas elegidos son candentes y suficientemente espinosos, será más fácil la aparición de enunciados exclamativos, los más difíciles de dominar. Evidentemente, no basta con que el tema sea de interés general; conviene, además, una preparación adecuada de material –documental, datos estadísticos, noticias de la prensa, carteles, etc.–, de vocabulario y de planteamiento del debate –exposición sumaria de cada postura antes de pasar a los aspectos específicos y a las anécdotas, bandos claramente definidos y antagónicos, moderador que controle los turnos, etc. El profesor puede intervenir como un participante más, p. ej., para echar leña al fuego y reavivar el interés.

DICTADO COMBINADO

Para esta actividad, puede tomarse un fragmento de una obra teatral. Durante una primera lectura, los alumnos se limitan a transcribir signos de puntuación, dejando espacio suficiente para después transcribir las palabras. Aquí tenemos un sencillo ejemplo.

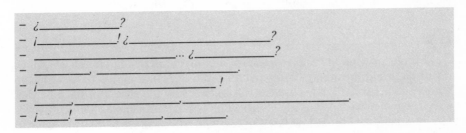

En la segunda lectura ya se escriben las palabras. Lo ideal es realizar esta actividad con el ordenador, ya que cualquier procesador de textos nos permite intercalar todas las palabras sin problema de espacio y, además, nos ayuda a la corrección ortográfica.

> – *¿Quién eres?*
> – *¡Y yo qué sé! ¿Cómo voy a saberlo?*
> – *Pues si no lo sabes tú... ¿quién lo sabrá?*
> – *No lo sé, pero yo menos que nadie.*
> – *¡Pues sí que estamos arreglados!*
> – *Bueno, pensándolo bien, soy un estudiante de la vida.*
> – *¡Ya! Un vividor, diría yo.*

DICTADO INFORMATIZADO

Retomando esta vieja y criticada actividad y actualizándola a nuestra era de la informática, los alumnos pueden transcribir en el monitor del ordenador la curva melódica de un enunciado, sirviéndose del ratón. Después se comenta la curva con el profesor. Si en el centro docente se dispone de un programa informático adecuado, se puede realizar un análisis melódico acústico y a continuación comparar la curva real producida por el hablante con la curva dibujada con el ratón.

DOBLAJE

De un anuncio publicitario o de una entrevista televisada. La clase se divide en grupos; cada grupo graba en vídeo el material necesario, lo escucha las veces que precise y lo transcribe. Cada alumno asume el papel de un personaje y se aprende su papel. Tras practicar el tiempo suficiente, graban su propio discurso en una cinta audio o en la misma cinta de vídeo. Finalizada la grabación en todos los grupos, se realiza la puesta en común en clase. Una variante más rápida: pasar varias veces en clase una grabación en vídeo; cuando los alumnos (un grupo de voluntarios) se sientan seguros, se anula la voz del televisor, y los alumnos la reemplazan en vivo con la propia voz.

ECO

El profesor o un alumno se prepara una historia basada en una anécdota divertida, preferiblemente, combinando estilo directo e indirecto, p. ej., *y entonces me preguntó: "¿tú te casarías con una tortuga?"*. El narrador hace pausas muy frecuentes para permitirle a otro alumno que repita lo más fielmente posible, como el eco. El resto de la clase escucha, y al final de la historia juzga si ha habido buen *eco* o no.

ELECCIÓN MÚLTIPLE I

Unos alumnos preparan un diálogo; lo transcriben; ensayan varias veces como para representar una obra de teatro; graban el diálogo normal en una cinta de audio o de vídeo; a continuación vuelven a grabarlo, pero esta vez tarareado; los compañeros escuchan enunciado por enunciado el diálogo tarareado, apuntando después de escuchar cada enunciado de qué tipo se trata –declarativo (.), enfático (!), interrogativo (?) o suspendido (...)–. Imaginemos que el diálogo es el de la actividad de más arriba que hemos titulado "dictado combinado". Entonces los alumnos apuntarían algo así:

| 1? | 2! | 3? | 4... | 5? | 6. | 7! | 8. | 9! | 10. |

Por último, escuchan el diálogo normal y comprueban si habían intuido o interpretado bien la entonación de cada enunciado.

ELECCIÓN MÚLTIPLE II

Los alumnos se distribuyen en grupos reducidos. A cada grupo se le entrega una fotocopia con la siguiente lista de enunciados. Los alumnos se van turnando para decir sin leer (es decir, primero leen en silencio y después dicen sin mirar el papel) cualquiera de los cuatro enunciados, sólo uno de cada número.

1.- Ya ha llegado.	¡Ya ha llegado!	¿Ya ha llegado?	Ya ha llegado...
2.- No le gusta.	¡No le gusta!	¿No le gusta?	No le gusta...
3.- No entiende español.	¡No entiende español!	¿No entiende español?	No entiende español...
4.- Tiene fiebre.	¡Tiene fiebre!	¿Tiene fiebre?	Tiene fiebre...
5.- Es que no trabaja.	¡Es que no trabaja!	¿Es que no trabaja?	Es que no trabaja...
6.- No hay examen.	¡No hay examen!	¿No hay examen?	No hay examen...
7.- Está nevando en Málaga.	¡Está nevando en Málaga!	¿Está nevando en Málaga?	Está nevando en Málaga...
8.- Es que ella es su hija.	¡Es que ella es su hija!	¿Es que ella es su hija?	Es que ella es su hija...
9.- Prefiere el pollo.	¡Prefiere el pollo!	¿Prefiere el pollo?	Prefiere el pollo...
10.- Ella aún no lo sabe.	¡Ella aún no lo sabe!	¿Ella aún no lo sabe?	Ella aún no lo sabe...

Sus compañeros *no* miran la fotocopia y escuchan atentamente para averiguar de cuál de ellos se trata en cada caso y, así, poder rellenar la ficha de abajo, anotando al lado de cada número, sencillamente (.), (!), (?) o (...), igual que en la actividad anterior. Si la clase no es muy numerosa, la actividad puede hacerse entre todos, p. ej., fotocopiando la lista en una transparencia y proyectándola para todos.

1	2	3	4	5	6	7	8	9	10

ENTONACIÓN EN DIFERIDO

Los alumnos se colocan en grupos reducidos o en parejas y escriben dos o tres frases sobre un tema, p. ej., su opinión sobre la ciudad en que viven; después cada alumno del grupo graba esas frases; al final, escuchan, comparan y comentan las diferencias de entonación (y de pronunciación, en general) entre unos y otros alumnos y entre unos y otros enunciados. He aquí una variante: cada grupo graba un diálogo corto (el mismo en todos los grupos); se escucha el primer enunciado de cada grupo, después el segundo, etc., hasta terminar el diálogo; comparando y comentando en cada caso las diferencias de entonación (y de pronunciación, en general). Cuantas más grabadoras haya en clase, tanto más dinámica será la realización de la actividad.

ENTREVISTA

Cada alumno entrevista a un compañero y después es entrevistado por cualquier otro compañero. En la entrevista cada uno puede ser uno mismo o bien un personaje ficticio, p. ej., alguien que admira (actor, científico, poeta…). El papel de entrevistador brinda la oportunidad de practicar la entonación interrogativa y el de entrevistado, la entonación declarativa.

ESCUCHA, OBSERVA Y REPITE

Los ejercicios de repetición suelen ser poco eficaces para la didáctica de la prosodia, dado que normalmente sólo inciden en la memoria a corto plazo, de modo que a largo plazo el alumno ya no puede extraer provecho de ellos. Esta limitación es subsanable, si se aporta un complemento de aprendizaje significativo al planteamiento del ejercicio, p. ej., si se intercala entre la escucha y la repetición una explicación y una representación visual. El resultado será: *escucha, observa, reflexiona (escucha de nuevo) y repite*. Dándole este giro copernicano al planteamiento, esta técnica histórica en la corrección fonética se alejará del aprendizaje sin sentido para convertirse en un vehículo de aprendizaje verdaderamente significativo. Como material de base, se puede aprovechar alguno de los ejercicios que encontramos en los libros de ELE, preferiblemente con grabación en soporte magnético.

Veamos otro ejemplo de cómo es posible reajustar este tradicional ejercicio. Si cuando un alumno se está expresando en la LE, el profesor detecta un problema importante de acentuación o de entonación (o de cualquier otro aspecto de pronunciación), a su debido tiempo el profesor puede proporcionarle un modelo para que el alumno lo imite. Esa repetición cobrará pleno sentido para el alumno, dado que se trata de perfeccionar su propia producción fónica, no ya de repetir las ideas o impresiones de otras personas.

ESCUCHA Y REPÍTETE

Escuchar una grabación de audio o vídeo y efectuar pausas frecuentes, sin romper unidades de sentido: tras cada grupo fónico, o bien tras cada enunciado, en función de la extensión de éstos y también del nivel de los alumnos. De hecho, con principiantes podríamos efectuar una pausa tras cada palabra fónica. Durante esas pausas los alumnos repiten, o bien mentalmente, o bien musitando el fragmento que acaban de escuchar, prestando especial atención al ritmo y a la melodía. Si la escucha se realiza con los ojos cerrados, se evitan posibles distracciones por el entorno, de modo que la atención se centra exclusivamente en el aducto auditivo.

ESCUCHA SELECTIVA CON LOS OJOS CERRADOS

Tras seleccionar un texto oral –un cuento, unas secuencias de una película, un fragmento de un programa radiofónico, una entrevista, etc.–, pedimos a los alumnos que cierren los ojos y escuchen, concentrándose al máximo en la melodía del discurso. Esta escucha selectiva puede dirigirse en otra sesión a unos determinados sonidos, p. ej., los fricativos, los vibrantes, etc. Este tipo de escucha es útil para concienciar a los alumnos del funcionamiento de los elementos seleccionados en el macrosistema fónico de la LE. Es como cuando un director de orquesta centra su atención en uno de los múltiples instrumentos que están sonando en un momento determinado, sin, por ello, perder la visión o, mejor dicho, la audición del conjunto.

IDENTIDAD ENCUBIERTA

Determinadas culturas y determinados alumnos de cualquier procedencia son reacios a exteriorizar en público estados de ánimo, emociones, sentimientos, etc. Por respeto a esas personas, en la clase de ELE podemos recurrir a actividades lúdicas o teatrales, en las que quede protegida la intimidad de los alumnos: no pedirles que expresen sus propios sentimientos y emociones, sino los de un personaje del libro de texto, del libro de lectura, de una telenovela, de una película de dibujos animados, etc. Uno de los fines primordiales a que aspiramos con este proceder es fomentar la aparición de enunciados exclamativos, tan problemáticos para muchos alumnos de ELE.

Un modo de encubrir la propia identidad es imitando el timbre de voz de otra persona: un ejercicio tradicional de *escucha y repite* resulta verdaderamente divertido, si los alumnos se esfuerzan por imitar no sólo la entonación, sino incluso el timbre de voz de los locutores de la grabación. Una vez ganada la suficiente confianza en sí mismos, es previsible que los alumnos ya no tengan inconveniente en desprenderse del *camuflaje tímbrico* para hablar con su timbre personal, es decir, con su voz normal.

IDENTIFICAR ACTITUDES

De un fragmento de una película se seleccionan enunciados con una clara carga expresiva (p. ej., de sarcasmo, euforia, depresión, cólera, etc.); se graban en una casete de audio, para suprimir temporalmente el componente visual; preguntamos a los alumnos qué actitud les sugiere cada enunciado; entre todos se intenta alcanzar un acuerdo en los puntos dudosos; al final se visualiza el fragmento seleccionado del vídeo y se corrige, si es preciso, las suposiciones previas.

¿IGUAL O NO?

Grabamos (o pedimos a un nativo que nos grabe) en una casete los siguientes pares de enunciados (cuadro de la izquierda); los alumnos van escuchando uno a uno cada par de enunciados y en su hoja (cuadro de la derecha) van anotando en cada caso si se trata del mismo enunciado repetido (I) o bien de dos enunciados distintos (D), diferenciados sólo por la entonación.

1. No sabe nadar. ¿No sabe nadar?
3. Se llama César. Se llama César.
4. Ya está cansado. ¡Ya está cansado!
5. ¿No le gusta viajar? ¿No le gusta viajar?
6. ¡Ya se ha dormido! ¿Ya se ha dormido?
7. ¿Volverá más tarde? Volverá más tarde.
8. ¡Estudia ruso! ¿Estudia ruso?
9. Mañana ya es viernes. ¡Mañana ya es viernes!
10. Esto ya se acaba. Esto ya se acaba.

Vas a escuchar 10 pares de enunciados. En cada caso, basta con que digas si son iguales (I) o diferentes (D).
Ejemplo   1.- D   6.-
             2.-   7.-
             3.-   8.-
             4.-   9.-
             5.-   10.-

INTERPRETACIÓN GUIADA CON FICHAS I

Confeccionamos una serie de fichas, escribiendo en cada una un enunciado sin signos de puntuación iniciales (¡, ¿) ni finales (., !, ?, ...). Los enunciados deben encajar en cualquiera de las cuatro entonaciones básicas –declarativa (.), exclamativa (!), interrogativa (?) y suspendida (...)–. La ventaja de emplear este tipo de enunciados es que obliga a los alumnos a centrarse en la entonación, ya que sólo así pueden distinguir entre las cuatro posibilidades. Entregamos una ficha a cada alumno.

Ya ha terminado de comer	No ha llegado todavía	Ha ido a correr	Ahora vive en Sabadell
Te puedo ayudar mañana	Ella trabaja aquí	Está muy cansado	No le gusta el jamón
Lo ha entendido todo	Ya está casada	Ellos no quieren ir	Está lloviendo otra vez

Un voluntario se coloca en la pizarra con estas 4 fichas entonativas: en una está el punto final, que simboliza los enunciados declarativos; en otra, los signos de admiración, que simbolizan los enunciados exclamativos; en otra, los signos de interrogación, que simbolizan los enunciados interrogativos; y en otra, los puntos suspensivos, que simbolizan los enunciados suspendidos.

El alumno de la pizarra llama a cualquiera de sus compañeros, toma al azar una de las *cuatro fichas entonativas* y se la muestra únicamente a ese compañero, sin que la vea nadie más de la clase. Entonces el alumno llamado entona el anunciado de su ficha de acuerdo con la *ficha entonativa*. A continuación, se pregunta a la clase qué tipo de anunciado ha oído (es posible que no todos hayan oído el mismo tipo). Por último, se muestra la *ficha entonativa* a toda la clase y, así, se comprueba si el alumno en cuestión ha entonado bien.

INTERPRETACIÓN GUIADA CON FICHAS II

Confeccionamos una serie de fichas como las siguientes. En cada una se escribe un fragmento de un discurso, debidamente contextualizado con unas notas referentes a la situación, el estado de ánimo, actitud, etc. Cada alumno toma una ficha, prepara su discurso y, llegado el momento, dice simplemente en qué escenario se halla y representa su papel ante sus compañeros. Éstos intentarán inducir de su entonación y expresión, en general, su estado de ánimo y actitud.

Situación. *Tu jefe te ha llamado a su despacho para comunicarte que está muy satisfecho con tu trabajo y que por eso te ha subido el sueldo.*

Escenario. *En el despacho de tu jefe.*

Estado de ánimo. *Te sientes muy feliz.*

Actitud. *Con humildad y agradecimiento.*

Te diriges a tu jefe y le dices algo así:

Sr. Gutiérrez, me alegra saber que está satisfecho con mi trabajo y... bueno, pues... eh... le agradezco que me haya subido el sueldo. La verdad es que yo también estoy encantado de trabajar en esta empresa, que ya es como mi casa.

Situación. *Tu amigo te ha invitado a cenar en un restaurante. A la hora de pagar, dice que se ha dejado la cartera en casa.*

Escenario. *En un restaurante.*

Estado de ánimo. *Estás sorprendido.*

Actitud. *Con enfado.*

Te diriges a tu amigo y le dices algo así:

¡Ostras! No me digas otra vez que te has dejado la cartera en casa. ¡Hombre! ¡Ya está bien! Es que el año pasado por tu cumpleaños me hiciste lo mismo.

Situación. *Esta noche has quedado con un chico que te gusta mucho en una discoteca fuera de la ciudad. A ti te da miedo ir sola y le pides a tu amiga que te acompañe, pero ella tiene un dolor de cabeza terrible.*

Escenario. *En casa de tu amiga.*

Estado de ánimo. *Estás entusiasmada.*

Actitud. *Suplicando con impaciencia.*

Te diriges a tu amiga y le dices algo así:

Va, por favor. Por lo que más quieras, acompáñame. Tú tómate una aspirina y ya verás cómo se te pasa el dolor. Si me haces este favor, luego yo haré por ti lo que tú quieras. Que necesito ver a ese chico, que hoy es el último día, que mañana se va...

Situación. *Estás de vacaciones en un hotel de cinco estrellas, pero todo son problemas.*

Escenario. *En la recepción del hotel.*

Estado de ánimo. *Estás muy alterado.*

Actitud. *Con indignación*

Te diriges al recepcionista y le dices algo así:

Oiga, ¡ya está bien! Ya es la tercera vez que vengo. Los de la habitación de al lado son un escándalo, la señora de la limpieza me despierta antes de que amanezca, luego voy a ducharme y me abraso con el agua, voy a secarme el pelo (a afeitarme) y no funciona ningún enchufe. ¡Ya está bien! ¡Vaya un hotel de cinco estrellas!

Para alumnos de un nivel elemental, proponemos una tarea más fácil, en la que basta con que distingan entre enunciados declarativos, exclamativos e interrogativos.

Situación. *Estamos en invierno, las ventanas de la clase están abiertas y tú tienes frío.*

¿Por qué no preguntas a tus compañeros si ellos también tienen frío?

Situación. *Esta tarde tienes que ir al médico y no podrás asistir a clase.*

Le pides a un compañero que tome apuntes de la clase y que te los dé mañana.

Situación. *Acabas de recibir las notas y te han ido mejor que nunca. También has visto las notas de tu compañero y a él también le han ido de maravilla.*

Ahora puedes darle la buena noticia a tu compañero.

Situación. *Estamos en verano, las ventanas de la clase están cerradas y tú estás sudando.*

Te quejas del calor que hace en esta aula.

Situación. *Has estado dos semanas de vacaciones en un país exótico.*

Les cuentas a tus compañeros cómo te ha ido, en general, y alguna anécdota interesante.

Situación. *Has descubierto un nuevo restaurante barato y con buena comida. Sabes que a tu compañero le encanta ir a comer fuera.*

Le preguntas si conoce ese nuevo restaurante y, si no, le explicas dónde está.

INTRUSO

Descubrir los dos enunciados *intrusos* en cada una de las listas siguientes. Un voluntario lee la lista y los demás intentan descubrir los dos *intrusos*.

---

1. *Aquí sólo quedan cinco.*
2. *Me parece que no le gusta.*
3. *Siempre hace igual.*
4. *Ellos viven en un chalet.*
5. *A las 10 terminan las clases.*
6. *Sólo bebe cerveza.*
7. *Le gusta más la manzanilla...*
8. *Así no puedes verlo todo.*
9. *Está en Estocolmo.*
10. *¡Esto es el colmo!*

---

1. *¡Aquí sólo quedan cinco!*
2. *¡Que no me gusta!*
3. *¡Siempre hace igual!*
4. *¡Ellos viven en un chalet!*
5. *A las 10 terminan las clases...*
6. *¡Sólo bebe cerveza!*
7. *¿Le gusta más la manzanilla?*
8. *¡Así no puedes verlo todo!*
9. *¡Está en Estocolmo!*
10. *¡Esto es el colmo!*

1. *¿Sólo quedan tres?*
2. *¿Que no le gusta?*
3. *¡Siempre hace igual!*
4. *¿Ellos viven en un chalet?*
5. *¿A las 10 terminan las clases?*
6. *¿Sólo bebe cerveza?*
7. *Le gusta más la manzanilla.*
8. *¿Así lo ves bien?*
9. *¿Está en Estocolmo?*
10. *¿Ya no quieres más?*

JUEGO DE MEMORIA

Para practicar la entonación en las enumeraciones completas, que típicamente tienen una inflexión ascendente en cada palabra fónica, excepto en la última, que es descendente. El alumno A dice, p. ej., *A Héctor le han regalado un osito.* El alumno B repite y añade un juguete, p. ej., *A Héctor le han regalado un osito y un camión.* El alumno C repite y añade otro juguete, p. ej., *A Héctor le han regalado un osito, un camión y un avión...* He aquí algunas ideas más para empezar a jugar, trabajando incluso aspectos culturales:

1. *Pepita ha ido al quiosco y ha comprado...*
2. *Josefina ha ido a la charcutería y ha comprado...*
3. *Paloma ha ido a la farmacia y ha comprado...*
4. *Leocadia ha ido a la droguería y ha comprado...*
5. *Rosario ha ido al estanco y ha comprado...*

Ésta es una variante para principiantes:

1. *Los días de la semana son...*
2. *Los meses del año son...*
3. *Los planetas del sistema solar son...*
4. *Los signos del zodíaco son...*
5. *Para ir en coche de Noruega a España, se pasa por...*

JUEGO TEATRAL (role play)

Los alumnos se colocan en grupos de cuatro: A, B, C y D. El alumno A de cada grupo es policía y recibe tres llamadas de B, C y D, respectivamente, denunciando un crimen. En cada grupo B, C y D se reúnen y deciden, sin que A oiga la conversación, quién de ellos va a llamar en serio a A, quién es un amigo de A que le va a gastar una broma y quién es un enemigo de A que quiere hacerle sufrir.

LISTAS

Para practicar la entonación en las enumeraciones –completas e incompletas–, los alumnos se colocan en parejas y cada uno le formula a su compañero las preguntas de su lista, pero antes les damos una sencilla explicación.

¿Sabes qué es la *entonación*? Es algo así como la música de la lengua. En una lista, la entonación típica sube en cada elemento, excepto en el último, que baja , como puedes ver aquí:

In vi ta re mos a Da niel, a Mí riam, a Ra quel y a E lia.

ALUMNO A	ALUMNO B
¿Te gustaría conocer mejor a tu compañero?	¿Te gustaría conocer mejor a tu compañero?
Puedes empezar por hacerle estas preguntas:	Puedes empezar por hacerle estas preguntas:
– *¿En qué ciudades de España has estado?* – *¿Qué países has visitado?* – *¿Qué películas te han gustado más?* – *¿Qué frutas te gustan más?* – *¿Cuáles son tus cantantes favoritos?*	– *¿En qué provincias de España has estado?* – *¿Qué países te gustaría visitar?* – *¿Qué libros te han gustado más?* – *¿Qué pasteles te gustan más?* – *¿Cuáles son tus actores favoritos?*
¿Quieres preguntarle algo más a tu compañero? ¡Adelante!	¿Quieres preguntarle algo más a tu compañero? ¡Adelante!

Como alternativa, se les distribuye catálogos de las ofertas de productos de varios supermercados / hipermercados, para que contrasten las ofertas de cada uno.

ALUMNO A	ALUMNO B
(Hipermercado Supereñe)	*(Hipermercado Hiperché)*
– *¿Qué electrodomésticos hay de oferta en* Hiperché? – *¿Qué carne está de oferta en* Hiperché? – *¿Qué libros puedo comprar que no valgan más de 20 euros?* – *¿Hay alguna fruta de importación?*	– *¿Qué ropa hay de oferta en* Supereñe? – *¿Hay algún pescado de oferta en* Supereñe? – *¿Qué películas puedo comprar que no valgan más de 20 euros?* – *¿Qué marcas de neumáticos tienen ahí?*
¿Te gustaría preguntar algo más sobre los productos de *Hiperché*? ¡Adelante!	¿Te gustaría preguntar algo más sobre los productos de *Supereñe*? ¡Adelante!

LÓGICA ENTONATIVA

Los alumnos escuchan un diálogo completo, pero no todo seguido, sino enunciado por enunciado. Después de cada enunciado, se hace una pausa y se les da a elegir entre dos alternativas –diferenciadas entre sí exclusivamente por la entonación–, para que ellos elijan la más lógica o más probable en ese contexto, como continuación del diálogo, y la anoten en su ficha. Según el nivel de los alumnos, puede optarse o bien por mostrarles las alternativas escritas, o bien por leérselas (diciendo el número de enunciado y A/ o B/ en cada caso), sin que ellos vean la transcripción del diálogo. En 4, 8, 9 y 10 las dos alternativas son posibles; lo importante en esos casos es saber la diferencia entre una y otra.

Rodolfo	– *¡Qué elegante vienes hoy!*
1. A/ ¿Tú sí que vienes imponente?	B/ ¡Tú sí que vienes imponente!
Valentina	– *¡Tú sí que vienes imponente!*
2. A/ Elegante que es uno.	B/ ¿Elegante que es uno?
Rodolfo	– *Elegante que es uno. Por cierto, ¿sabes qué hora es?*
3. A/ ¿Es que no tienes reloj?	B/ Es que no tienes reloj.
Valentina	– *¿Es que no tienes reloj?*
4. A/ Yo sí, pero tú parece que no.	B/ ¡Yo sí, pero tú parece que no!
Rodolfo	– *Yo sí, pero tú parece que no. Bueno, ¿adónde te apetece ir?*
5. A/ Porque no eliges tú hoy.	B/ ¿Por qué no eliges tú hoy?
Valentina	– *¿Por qué no eliges tú hoy?*
6. A/ Está bien.	B/ ¿Está bien?
Rodolfo	– *Está bien.*
7.A/ Es que siempre elijo yo.	B/ ¿Es que siempre elijo yo?
Valentina	– *Es que siempre elijo yo.*
8. A/ ¿Vamos al cine?	B/ ¡Vamos al cine!
Rodolfo	– *¿Vamos al cine?*
9. A/ ¿Al cine otra vez?	B/ ¡Al cine otra vez!
Valentina	– *¿Al cine otra vez?*
10. A/ Pues elige tú, como siempre.	B/ ¡Pues elige tú, como siempre!
Rodolfo	– *¡Pues elige tú, como siempre!*

Ficha para el alumno

Ejemplos: 1.- B, 2.- A   3.-   4.-   5.-   6.-   7.-   8.-   9.-   10.-

MONOTONÍA SENSIBILIZADORA

Un modo de concienciar a los alumnos de la importancia de la entonación es hacerles sentir su ausencia (por eso de que *no sabemos lo que tenemos hasta que lo perdemos*). A tal efecto, vamos a darles un breve discurso –p. ej., contarles una anécdota divertida o bien explicar las reglas de acentuación ortográfica en español– absolutamente monótono, reprimiendo al máximo la entonación, procurando mantener un ritmo mecánico y un tono constante en cada sílaba (al *estilo robot*). Al terminar, les preguntamos si han notado algo extraño y entre todos comentamos las impresiones.

NOTICIAS

Un alumno o el profesor da una noticia en vivo (sin leer) a la clase. Tras escuchar la noticia, cada alumno graba su reacción en una casete. Si, p. ej., la noticia es "*¿Sabéis que el C.F. Mortadelo ha ganado la liga?*", previsiblemente, habrá reacciones de euforia (*¡Bien!, ¡Qué alegría!, ¡Por fin!*), de desilusión (*¡Vaya, hombre, ya hemos perdido este año también!*), de indiferencia (*¡Bah! ¿y a mí qué me cuentas?*), de hastío (*¡Jo! ¡Qué pesados! ¡Otra vez con el fútbol!*), etc., cada reacción con su entonación propia. Para que el proceso de grabación sea ágil, lo ideal es disponer de varias grabadoras en clase.

Ejemplos de noticias:

– *¡Ha bajado la gasolina!*
– *Ha aterrizado un OVNI en la Plaza de Colón.*
– *El euro ha subido hasta un dólar y medio.*
– *Marilandia ha entrado en la Unión Europea.*
– *¿Sabes que la profesora se va a casar con el hijo del Presidente?*
– *Dicen que el aceite de oliva va bien para que crezca el pelo.*
– *¡Van a abrir un parque temático a cinco minutos de aquí!*
– *¡Me han dicho que a partir de ahora ya no tenemos que hacer más exámenes!*

¿Eres capaz de inventar tú mismo alguna noticia y dársela a tu compañero? A ver cómo reacciona.

PERSONAJES

Un voluntario piensa un personaje famoso –Jesulín de Ubrique, el Príncipe Felipe, Silvia Abascal, Penélope Cruz...– y sus compañeros le van formulando preguntas hasta acertarlo. El voluntario sólo puede responder sí o no, de modo que las preguntas serán forzosamente absolutas, es decir, con inflexión final ascendente. Variantes: adivinar un objeto, un país, un animal, etc.

TARAREO

Una idea a medio camino entre el canto y el habla espontánea es dedicar 2 o 3 minutos de clase a escuchar unos enunciados y repetirlos tarareando. Al tararear o silbar un enunciado el alumno puede concentrarse fácilmente en el componente melódico, prescindiendo de cualquier otro componente lingüístico.

TELÉFONO

Los alumnos se disponen en corro. A le da una noticia a B, grabándola, a la vez, en una cinta de audio; B le repite la noticia a C; C, a D... Al final se comparan las grabaciones, especialmente la última con la primera. Además de los posibles cambios en la entonación, podremos comparar también los posibles cambios de sonidos y de palabras completas, con los posibles cambios de significado resultantes.

TODO OÍDOS

Los alumnos cierran los ojos y escuchan un poema –o bien grabado, o bien recitado en vivo–, p. ej., el que presentamos aquí. El objetivo es concienciar a los alumnos de la enorme importancia de la entonación también en la poesía. Una posibilidad es una audición por puro placer, como si de música se tratara, despreocupándose de la lengua en sí. Otra alternativa consiste en escuchar el poema dos o tres veces y en cada ocasión atender a un aspecto (rima, ritmo, entonación, sintaxis, simbolismo, etc.).

EL ENIGMA DE TU MIRADA

Tu secreto, mi secreto,
dos secretos: uno son.
¡Qué feliz! ¡Qué triste!
Sentir ... sin sentirte.

Tú, en mí siempre;
yo, en ti ¿también?
¿Un sueño de ensueño?
¿o una ilusión imposible?

Te abrazo con mi alma;
te beso con el corazón;
te acaricio con mis pestañas;
mis lágrimas te piden perdón.

Dos barreras nos separan;
dos flechas nos unen.
Tu mirada me extasía,
me abrasa, me domina.

Ayer nos conocimos;
hoy me has dicho adiós.
¡Qué bellos tus principios!
¡Qué terrible mi final!

Te amaré en silencio,
mi sol, y a oscuras,
mi luna. ¡Qué romántica
y femenina! Como ninguna.

TRANSCRIPCIÓN ENTONOLÓGICA I

Los alumnos se colocan en parejas (alumno A y alumno B). A coloca la yema de los dedos en la garganta (a la altura de la laringe) de B, quien va a leer un texto, p. ej., las tres primeras estrofas del poema anterior. A cierra los ojos y escucha con atención, al mismo tiempo que se concentra en los movimientos de la garganta de B. En una segunda lectura, A permanece con los ojos abiertos y transcribe la melodía del discurso, sirviéndose de cualquiera de las opciones expuestas en 4.5. A continuación se invierten los papeles –ahora es A quien lee– y se trabaja la segunda mitad del poema.

TRANSCRIPCIÓN ENTONOLÓGICA II

El profesor lee los siguientes enunciados, diciendo el número en cada caso, y los alumnos dibujan la curva melódica de cada uno en el cuadro correspondiente de su ficha.

1. *¿Alguien tiene hora?*	5. *¿Me invitas a comer?*
2. *Son las dos y media.*	6. *¡Vaya jeta tienes!*
3. *¡Qué hambre tengo ya!*	7. *El lunes te invité yo.*
4. *Pues si tienes hambre...*	8. *Es que resulta que hoy...*

¿Te gusta dibujar? Ahora puedes hacerlo. El profesor va a leer 8 enunciados para que tú dibujes la entonación de cada uno en el cuadro correspondiente.

1.	**2.**
3.	**4.**
5.	**6.**
7.	**8.**

ACTIVIDADES

ACTIVIDADES

1. ¿Qué tipo de actividades prefiere usted para que sus alumnos practiquen la acentuación española?

2. ¿Y para que practiquen la entonación española?

3. De todas las actividades presentadas en este capítulo, ¿cuál le parece más interesante?, ¿por qué?

4. ¿Cuál cree que preferirían sus alumnos?, ¿por qué?

5. ¿Hay alguna actividad que le parezca demasiado complicada para sus alumnos? ¿Cree usted que modificando algún detalle, sería posible adaptarla al nivel de sus alumnos?

6. ¿Hay alguna actividad que le parezca interesante, pero que para aplicarla en clase, necesitaría desarrollar o ampliar? Por ejemplo, si usted tiene una clase numerosa y necesitaría más fichas, más palabras o más enunciados de los que se ofrecen aquí. ¿Le apetece dedicar unos minutos a elaborar esas fichas, a pensar esos enunciados, etc.?

7. En general, los juegos suelen resultar motivadores. ¿Se le ocurre a usted algún juego que pudiera aprovecharse para practicar la prosodia?

8. En 5.1. hemos visto una lista de propuestas para trabajar la acentuación. ¿Cuáles de ellas elegiría usted?

9. En ese mismo apartado hemos visto una lista de propuestas para trabajar la entonación. ¿Cuáles de ellas elegiría usted?

10. De entre las propuestas que ha elegido en 8) y en 9), ¿podría seleccionar una sola y desarrollar una actividad apropiada para sus alumnos?

BIBLIOGRAFÍA BÁSICA

Cantero, F. J. 2002: *Teoría y análisis de la entonación,* Barcelona, Edicions U.B.

Obra en la que se establece un nuevo marco teórico para el estudio de la acentuación y la entonación en español, que puede usarse como una introducción general al tema y como un tratado especializado de análisis, donde se determinan los rasgos y las unidades fonológicas de la entonación, y se establece un método de análisis melódico que permite, por primera vez, el estudio del habla espontánea.

Cruttenden, A. 1986: *Intonation,* Cambridge, C. U. P.

En esta obra el autor desarrolla un modelo de análisis de la entonación y explica la relación entre la acentuación y la entonación. Además de describir las formas de las unidades prosódicas, explica las funciones de la prosodia en el discurso. Trata, asimismo, aspectos universales de la entonación, como son la declinación y la relación entre la entonación y el lenguaje no verbal.

Llisterri, J. 1991: *Introducción a la fonética: el método experimental,* Barcelona, Anthropos.

Ésta es una guía de autoformación en la investigación experimental en fonética. Al lector se le ofrecen, por una parte, una formación teórica, que se inicia con los conceptos y términos básicos y, por otra, una serie de instrumentos y técnicas con los que poner en práctica los conocimientos teóricos y acometer experimentos de fonética. Las explicaciones son llanas, por lo que es apropiada tanto para lectores duchos en la materia como para los noveles.

Martínez Celdrán, E. 1984: *Fonética,* Barcelona, Teide.

Esta obra es una introducción a la fonética articulatoria y acústica. Trata cuestiones generales en el estudio de la fonética en las lenguas naturales y se centra en el caso concreto de la lengua española. Aborda con rigor científico y con todo detalle uno a uno los aspectos clave de la fonética segmental y suprasegmental y los explica con claridad y con un lenguaje sencillo.

Navarro Tomás, T. 1944: *Manual de Entonación Española,* Nueva York, Hispanic Institute; ed. 1974: Madrid, Guadarrama.

Ésta es la obra fundacional de la entonología española. El autor elabora un modelo para un análisis metódico de la entonación española: establece unidades para su análisis y una tipología, introduce conceptos, acuña términos. Es el modelo seguido por la mayoría de los hispanistas. Reflexiona sobre la doble vertiente de la entonación, con un componente primitivo, innato y universal y otro lingüístico y convencional, distinto en cada lengua. El capítulo 8 está dedicado a ejercicios sobre la entonación.

O'Connor, J. D. y G. F. Arnold. 1961: *Intonation of Colloquial English,* Londres, Longman.

Éste es un manual de orientación conductista dedicado íntegramente a la entonación. Tras una amplia introducción teórica se pasa a la práctica intensiva de los 10 patrones de entonación que se presentan. La práctica entonativa está concebida como una serie de diálogos debidamente contextualizados entre el profesor y el alumno.

Quilis, A. 1993: *Tratado de fonología y fonética españolas,* Madrid, Gredos.

Esta extensa obra es de utilidad como introducción a la fonología y a la fonética, en general, y de la lengua española, en particular. Comienza por los aspectos segmentales y dedica la última parte a los fenómenos suprasegmentales. El autor caracteriza la acentuación y la entonación españolas y explica sus funciones básicas. Es adecuada tanto para lectores expertos como para principiantes.

Rogerson, P. y J. B. Gilbert. 1990: *Speaking Clearly: Pronunciation and Listening comprehension for learners of English,* Cambridge, C. U. P.

De sus 36 unidades, 10 están dedicadas a explicaciones y actividades sobre la prosodia. Se familiariza a los alumnos con la terminología propia de la disciplina: *acento, ritmo, curva melódica, campo tonal,* etc. La práctica de la prosodia queda integrada en la práctica de la pronunciación, y ésta, en la globalidad del proceso instructivo.

REFERENCIAS BIBLIOGRÁFICAS

Abrahamsen, M. y A. Nørgaard 1990: *¡Hola!,* Copenhague, Gyldendal.

Alcina, J. y J. M. Blecua 1975: *Gramática española,* Barcelona, Ariel.

Alcoba, S. 1974: *Módulos de español para extranjeros (nivel 1 y nivel 2),* Barcelona, Vox.

Anderson-Hsieh, J. 1992: "Using electronic feedback to teach suprasegmentals", *System,* 20/1: 51-62.

Archibald, J. 1993: *Language Learnability and L2 Phonology: the acquisition of metrical parameters,* Dordrecht, Kluwer.

Artuñedo, B. y C. Donson 1995: Ele 2: *curso de español para extranjeros (libro del profesor),* Madrid, SM.

Avery, P. y S. Ehrlich 1992: *Teaching American English Pronunciation,* Óxford, O. U. P.

Baker, A. y S. Goldstein, 1990: *Pronunciation Pairs: An introductory course for students of English (libro del profesor),* Cambridge, C. U. P.

Baum, S. R. 1998: "The role of fundamnetal frequency and duration in the perception of linguistic stress by individuals with brain damage", *Journal of Speech, Language and Hearing Research, 41/1:* 31-40.

Billières, M. 1995: "Didactique des langues et phonétique: la place du verbo-tonal", *Revue de Phonétique Appliquée,* 114: 43-63.

Blumstein, S. E. 1995: "The neurobiology of language", en J. L. Miller y P. D. Eimas (eds.), *Speech, Language and Communication,* San Diego, Ca., Academic Press.

Borobio, V. 1995: *Ele 1: curso de español para extranjeros (libro del alumno, l. de ejercicios y l. del profesor),* Madrid, SM.

Bourdages, J. et al. 1987: "Approche intégrée pour l'enseignement de la phonétique", *The Canadian Modern Language Review,* 1987: 146-58.

Bowen, T. y J. Marks 1992: *The Pronunciation Book: Student-centred activities for pronunciation work,* Harlow, Longman.

Bowen, J. D. y R. P. Stockwell 1960: *Patterns of Spanish Pronunciation: A drill book,* Chicago, The University of Chicago Press.

Brazil, D. 1994: *Pronunciation for Advanced Learners of English (libro del profesor),* Cambridge, C. U. P.

Brazil, D. et al. 1980: *Discourse Intonation and Language Teaching,* Londres, Longman.

Brière, E. J. 1968: A *Psycholinguistic Study of Phonological Interference,* La Haya, Mouton.

Brown, A. (Ed.) 1991: *Teaching English Pronunciation: A book of readings,* Londres, Routledge.

Calbris, G. y J. Montredon 1980: *Oh là là!: expression intonative et mimique (libro del alumno),* París, CLE International.

Calbris, G. y J. Montredon 1981: *Oh là là!: expression intonative et mimique (libro del profesor),* París, CLE International.

Callamand, M. 1974: *L'intonation expressive: exercices systématiques de perfectionnement (libro del alumno para el laboratorio),* París, Hachette / Larousse.

Canellada, M. J. y J. Kuhlmann, 1987: *Pronunciación del español,* Madrid, Castalia.

Cantero, F. J. 1988: "Un ensayo de cuantificación de las entonaciones lingüísticas", *Estudios de Fonética Experimental III:* 112-134 Universitat de Barcelona, PP. U.

Cantero, F. J. 1991: "La entonación como elemento integrador del habla", en C. Martín Vide (Ed.), *Actas del VI Congreso de Lenguajes Naturales y Lenguajes Formales,* Barcelona, PP. U.

Cantero, F. J. 1992: "Entonación y comprensión lectora", en *Paraules,* Universitat de Barcelona, Departamento de Didáctica de la Lengua y la Literatura.

Cantero, F. J. 1994: "La cuestión del acento en la enseñanza de lenguas" en J. Sánchez Lobato et al. (Eds.), *Problemas y métodos en la enseñanza del español como lengua extranjera,* Madrid, SGEL.

Cantero, F. J. 1995: *Estructura de los modelos entonativos: interpretación fonológica del acento y la entonación en castellano* (tesis doctoral), Universitat de Barcelona, Facultad de Filología, Departamento de Filología Románica.

Cantero, F. J. 1998: "Conceptos clave en lengua oral", en A. Mendoza (Coord.), *Conceptos clave en didáctica de la lengua y la literatura,* Barcelona, ICE/Horsori/SEDLL.

Cantero, F. J. y J. de Arriba 1998: *Psicolingüística del Discurso,* Barcelona, Octaedro.

Castro, F. et al. 1990: *Ven 1 (libro del alumno y libro de ejercicios),* Madrid, Edelsa.

Castro, F. et al. 1991: *Ven 2 (libro del alumno y libro de ejercicios),* Madrid, Edelsa.

Cauneau, I. 1992: *Hören, Brummen, Sprechen: angewandte Phonetik im Unterricht Deutsch als Fremdsprache,* Múnich, Klett.

Cavé, C. et al. 1994: "Fréquence fondamentale et mouvements rapides des sourcils: une étude pilote", Travaux de l'Institut Phonétique d'Aix, 15: 25-42.

Celce-Murcia, M. et al. 1996: *Teaching Pronunciation: A reference for teachers of English to speakers of other languages,* Nueva York, C. U. P.

Corder, S. P. 1992: "A role for the mother tongue", en S. M. Gass y L. Selinker (Eds.), *Language Transfer in Language Learning,* Ámsterdam, Benjamins.

Cortés Moreno, M. 1992: *Fonología eslovena y española contrastadas y corrección fonética aplicada a eslovenohablantes* (memoria de máster), Universitat de Barcelona, Facultad de Pedagogía, Departamento de Didáctica de la Lengua y la Literatura.

Cortés Moreno, M. 1996: "El acento en inglés y en español: actividades de corrección fonética", en F. J. Cantero et al. (Eds.), *Didáctica de la lengua y la literatura para una sociedad plurilingüe del siglo XXI:* 973-978 Barcelona, PP.U.

Cortés Moreno, M. 1998: "Percepción y adquisición de la entonación española por parte de hablantes nativos de chino", *Estudios de Fonética Experimental IX:* 67-134, Universitat de Barcelona, PP.U.

Cortés Moreno, M. 1999a: *Adquisición de la entonación española por parte de hablantes nativos de chino* (tesis doctoral), Universitat de Barcelona, Facultad de Pedagogía, Departamento de Didáctica de la Lengua y la Literatura.

Cortés Moreno, M. 1999b: "Percepción y adquisición de la entonación española en diálogos: el caso de los estudiantes taiwaneses", *Actas del I Congreso de Fonética Experimental:* 159-164, Universidad Rovira i Virgili y Universitat de Barcelona.

Cortés Moreno, M. 2000a: *Guía para el profesor de idiomas: didáctica del español y segundas lenguas,* Barcelona, Octaedro.

Cortés Moreno, M. 2000b: "Percepción y adquisición de la entonación española en frases leídas", *Wenzao Journal*, 14: 265-276, Taiwán.

Cortés Moreno, M. 2000c: "El papel de la entonación en la enseñanza de idiomas", *Actas del Foreign Languages Teaching and Humanity Education Symposium*: pp. S1-1 a S1-10, Universidad Wenzao, Taiwán.

Cortés Moreno, M. 2001a: "El papel de la prosodia en la enseñanza de la lengua extranjera: una revisión de materiales didácticos", *Lenguaje y Textos*, 17: 127-144, Sociedad Española de Didáctica de la Lengua y la Literatura, Universidad de La Coruña.

Cortés Moreno, M. 2001b: "Percepción y adquisición de la entonación española en enunciados de habla espontánea: el caso de los estudiantes taiwaneses", *Estudios de Fonética Experimental, XI*: 89-119 Universitat de Barcelona: PP.U.

Cortés Moreno, M. 2001c: "Producción y adquisición de la entonación española en enunciados de habla espontánea: el caso de los estudiantes taiwaneses", *Estudios de Fonética Experimental, XI:* 191-209, Universitat de Barcelona: PP.U.

Cortés Moreno, M. 2001d: "Interferencia fónica, gramatical y sociocultural en español/LE: el caso de dos informantes taiwanesas", *Glosas Didácticas,* revista electrónica internacional de la Sociedad Española de Didáctica de la Lengua y la Literatura, número 7. http://sedll.org/doc-es/publicaciones/glosas/fin7/taiwan3.doc

Cortés Moreno, M. 2001e: "*¿Enseñar español en Taiwán?: El factor motivación", Glosas Didácticas,* revista electrónica internacional de la Sociedad Española de Didáctica de la Lengua y la Literatura, número 7. http://sedll.org/doc-es/publicaciones/glosas/fin7/taiwan2.doc

Cortés Moreno, M. 2002a: "Producción y adquisición de la acentuación española en habla espontánea: el caso de los estudiantes taiwaneses", *Estudios de Fonética Experimental, XII,* Universitat de Barcelona, PP.U.

Cortés Moreno, M. 2002b: "Percepción y adquisición de la acentuación española en la lectura: el caso de los estudiantes taiwaneses, *Estudios de Fonética Experimental, XII,* Universitat de Barcelona, PP.U.

Cortés Moreno, M. 2002c: "Dificultades lingüísticas de los estudiantes chinos en el aprendizaje del ELE", *Carabela*, 51, Madrid, SGEL.

Cortés Moreno, M. 2002d: "Dificultades de pronunciación de los eslovenohablantes que aprenden español como lengua extranjera", *Revista de Profesores*, revista electrónica de la Editorial Espasa, febrero. http://www.esespasa.com/esespasa/sta/html/es/revistaprofesores.../investig_metodolog.htm

Costa, A. L. y P. Alves 1997: *¡Vamos a jugar!*, Barcelona, Difusión.

Cruttenden, A. 1986: *Intonation*, Cambridge, C. U. P.

Crystal, D. 1987: *The Cambridge Encyclopedia of Language*, Cambridge, C. U. P.

D'Introno, F. et al. 1995: *Fonética y fonología actual del español*, Madrid, Cátedra.

Dalmau, M. et al., 1985: *Correcció fonètica: mètode verbo-tonal*, Vic, EUMO.

De Nebrija, A. 1492, ed. 1980: *Gramática de la lengua castellana*, Madrid, Editora Nacional.

Delgutte, B. 1997: "Auditory neural processing of speech", en W. J. Hardcastle y J. Laver (Eds.), *The Handbook of Phonetic Sciences*, Óxford, Blackwell.

Di Cristo, A. 1985: *De la microprosodie à l'intonosyntaxe* (tesis doctoral), Aix-en-Provence, Université de Provence.

Di Pietro, R. J. 1987: *Strategic Interaction: Learning languages through scenarios*, Cambridge, C. U. P.

Dieling, H. 1992: *Phonetik im Fremdsprachenunterricht*, Berlín, Langenscheidt.

Elliott, A. R. 1997: "On the teaching and acquisition of pronunciation within a communicative approach", *HISPANIA*, 80/1: 95-108.

Ellis, R. 1994: *The Study of Second Language Acquisition*, Óxford, O. U. P.

Fernández, S. 1997: *Interlengua y análisis de errores en el aprendizaje del español como lengua extranjera*, Madrid, Edelsa.

Fernández, S. 2000: "Corrección de errores en la expresión oral", *Carabela*, 47: 133-150.

Fónagy, I. 1983: *La vive voix*, París, Payot.

Frazier, L. 1995: "Issues of representation in psycholinguistics", en J. L. Miller y P. D. Eimas (Eds.): *Speech, Language and Communication*, San Diego, Academic Press.

Fries, C. C. 1945: *Teaching and Learning English as a Foreign Language,* Ann Arbor, University of Michigan Press.

García Riverón, R. 1996: *Aspectos de la entonación hispánica,* Universidad de Extremadura.

García Santos, F. 1988: Español: *curso de perfeccionamiento,* Ediciones de la Universidad de Salamanca.

Garrido, J. M. 1996: *Modelling Spanish Intonation for text-to-Speech Applications* (tesis doctoral), Universitat Autònoma de Barcelona, Facultad de Letras.

Gehrmann, S. 1994: *Deutsche Phonetik in Theorie und* Praxis Zagreb, _Školska Knjiga.

Gilbert, J. B. 1978: "Gadgets: non-verbal tools for teaching pronunciation", en A. Brown (Ed.) 1991: *Teaching English Pronunciation: A book of readings,* Londres, Routledge.

Gili Gaya, S. 1950, ed. 1975: *Elementos de fonética general,* Madrid, Gredos.

Gimson, A. C. 1975: *A Practical Course of English Pronunciation* Londres, Arnold.

Gimson, A. C. y A. Cruttenden 1994: *Gimson's Pronunciation of English,* Londres, Arnold.

Giovannini, A. et al. 1996: *Profesor en acción (1, 2 y 3),* Madrid, Edelsa.

Grab-Kempf, E. 1988: *Kontrastive Phonetik und Phonolgie Deutsch - Spanisch,* Fráncfort, P. Lang.

Guaïtella, I. 1991: "Étude des relations entre geste et prosodie à travers leurs fonctions rythmiques et symboliques", en *Actas del 12.º Congreso Internacional de Ciencias Fonéticas* Aix-en-Provence, Université de Provence.

Guimbretière, E. 1994: *Phonétique et enseignement de l'oral,* París, Didier.

Helfrich, H. 1985: *Satzmelodie und Sprachwahrnehmung: psycholinguistische Untersuchungen zur Grundfrequenz,* Berlín, W. de Gruyter.

Hewings, M. 1993: *Pronunciation Tasks (libro del alumno),* Cambridge, C. U. P.

Hirschfeld, U. 1992: *Einführung in die deutsche Phonetik,* Ismaning, Hueber.

Hochberg, J. 1988: "Learning Spanish stress: developmental and theoretical perspectives", *Language, 64*: 683-706.

Householder, F. W. 1957: "Accent, juncture, intonation and my grandfather's reader", *Word, 13/2*: 234-45.

Iruela, A. 1993: *La adquisición de la fonología de segundas lenguas: el caso del vocalismo español adquirido por holandeses* (memoria de máster), Universitat de Barcelona, Facultad de Pedagogía, Departamento de Didáctica de la Lengua y la Literatura.

Iruela, A. 1997: *Percepción, adquisición fónica y aprendizaje de lenguas extranjeras* (proyecto de tesis), Universitat de Barcelona, Facultad de Pedagogía, Departamento de Didáctica de la Lengua y la Literatura.

Kelly, L. G. 1969: *25 Centuries of Language Teaching* Rowley, Mass., Newbury House.

Kim, K. et al. 1997: "Distinct cortical areas associated with native and second languages", *Nature, 388*: 171-4.

Ladefoged, P. 1962: *Elements of Acoustic Phonetics,* Chicago, The University of Chicago Press.

Lado, R. 1957, ed. 1971: *Linguistics Across Cultures. Applied linguistics for language teachers,* The University of Michigan Press.

Lado, R. y CH. C. Fries 1954, ed. 1958: *English Pronunciation Exercises in Sound Segments, Intonation and Rhythm,* The University of Michigan Press.

Larsen-Freeman, D. y M. Long 1991: *An Introduction to Second Language Acquisition Research,* Londres, Longman.

Lenneberg, E. H. 1967: *Biological Foundations of Language,* Nueva York, Wiley.

Léon, P. 1966: "Teaching pronunciation", en A. Valdman (Ed.), *Trends in Language Teaching,* Nueva York, McGraw.

Lepetit, D. y P. Martin 1990: "Étude différentielle intonative français / anglais", *IRAL,* 28/2: 135-52.

Liberman, M. Y. y A. Prince 1977: "On stress and linguistic rhythm", *Linguistic Inquiry,* 8/2: 249-336.

Major, R. C. 1987: "A model for interlanguage phonology", en G. Ioup y S. H. Weinberger (Eds.), *Interlanguage Phonology,* Cambridge, Mass., Newbury House.

Mariscal, S. 1994: "Fonología y articulación", en S. López Ornat et al. (Eds.), *La adquisición de la lengua española,* Madrid, Siglo XXI.

Martín Peris, E. y N. Sans 1997: *Gente (libro del alumno),* Madrid, Difusión.

Martín Peris, E. et al. 1985: *Esto funciona (libro del profesor, libro del alumno y libro de ejercicios),* Madrid, Edelsa.

Martinet, A. 1967: *Éléments de linguistique générale,* París, Armand Colin.

Martínez Celdrán, E. 1996: *El sonido en la comunicación humana,* Barcelona, Octaedro.

Mills, D. H. 1969: "Why learn contrasting intonation contours?", *Hispania,* 52/2: 256-8.

Miquel, L. y N. Sans 1994: *Rápido: curso intensivo de español (guía del profesor, libro del alumno),* Barcelona, Difusión.

Moore, B. C. J. 1997: "Aspects of auditory processing related to speech perception", en W. J. Hardcastle y J. Laver (Eds.), *The Handbook of Phonetic Sciences* Óxford, Blackwell.

Moreno, C. et al. 1995: *Avance: curso de español, nivel intermedio, preparación para el D. E. L. E.,* Madrid, SGEL.

Mott, B. 1991: *A Course in Phonetics and Phonology for Spanish Learners of English,* Barcelona PP. U. - Universitas 7.

Navarro Tomás, T. 1918, ed. 1972: *Manual de Pronunciación Española,* Madrid, C.S.I.C.

Navarro Tomás, T. 1944: *Manual de Entonación Española,* Nueva York, Hispanic Institute; ed. 1974: Madrid, Guadarrama.

Neuner, G. et al. 1979: *Deutsch aktiv (nivel 1, libro del profesor),* Berlín, Langenscheidt.

Nolan, F. 1995: *Handbook of the International Phonetic Association: A guide to the use of the International Phonetic Alphabet* (monografía), *Journal of the International Phonetic Association, 25/1.*

Pamies, A. 1997: "Consideraciones sobre la marca acústica del acento fonológico", *Estudios de Fonética Experimental VIII*: 11-49, Barcelona, PP. U.

Pennington, M. C. 1996: *Phonology in English Language Teaching: An internatinal approach,* Londres, Longman.

Pike, K. L. 1948: *Tone Languages,* Ann Arbor, University of Michigan.

Poch, D. 1993: "La corrección fonética en español lengua extranjera", en R. Alonso et al. (Eds.), *Didáctica del español como lengua extranjera,* Fundación Actilibre.

Poch, D. 1999: *Fonética para aprender español: pronunciación,* Madrid, Edinumen.

Provins, K. A. 1997: "Handedness and speech: a critical reappraisal of the role of genetic and environmental factors in the cerebral lateralization of function", *Psychological Review,* 104/3: 554-71.

Quilis, A. 1988: "Estudio comparativo entre la entonación portuguesa (de Brasil) y la española", *Revista de Filología Española LXVIII/1-2:* 33-65.

Quilis, A. 1993: *Tratado de fonología y fonética españolas,* Madrid, Gredos.

Quilis, A. y J. A. Fernández 1985: *Curso de fonética y fonología españolas,* Madrid, C.S.I.C.

Real Academia Española 1973: *Esbozo de una nueva gramática de la lengua española,* Madrid, Espasa-Calpe.

Renard, R. 1971: *Introduction à la méthode verbo-tonale de correction phonétique,* París, Didier.

Richards, J. C. 1971: "A non-contrastive approach to error analysis", *English Language Teaching, 25/3:* 204-19.

Rogerson, P. y J. B. Gilbert 1990: *Speaking Clearly: Pronunciation and Listening comprehension for learners of English (libro del alumno),* Cambridge, C. U. P.

Sánchez, A. et al. 1988: Antena 2: *curso de español para extranjeros (libro del alumno),* Madrid, SGEL.

Sánchez, A. et al. 1995: *Cumbre: curso de español para extranjeros, nivel elemental (libro del alumno),* Madrid, SGEL.

Santos, I. 1993: *Análisis Contrastivo, Análisis de Errores e Interlengua en el marco de la Lingüística Contrastiva,* Madrid, Síntesis.

Saussol, J. M. 1983: *Fonología y fonética del español para italófonos,* Padua, Liviana.

Selinker, L. 1969: "Language transfer" *General Linguistics,* 9: 67-92.

Simões, A. R. M. 1996: "Duration as an element of lexical stress in Spanish discourse: an acoustical study", *Hispanic Linguistics,* 8/2: 352-68.

Solé, M. J. 1984: "Experimentos sobre la percepción del acento", *Estudios de Fonética Experimental, 1,* Universitat de Barcelona, PP. U.

't Hart, J. et al. 1990: *A perceptual study of intonation. An experimental-phonetic approach to speech melody,* Cambridge, C. U. P.

Taylor, L. 1993: *Pronunciation in Action,* Nueva York, Prentice Hall.

Toledo, G. A. y E. Martínez Celdrán 1997: "Preplanificación psicolingüística y entonación en el español mediterráneo", *Estudios de Fonética Experimental VIII:* 185-206, Barcelona, PP. U.

Trubetzkoy, N. S. 1958, ed. 1971: *Grundzüge der Phonologie,* Gotinga, Vandenhoeck y Ruprecht.

Varela, S. et al. 1994: *Ele: tácticas de conversación,* Madrid, Alhambra.

1996: *Viaje al español: versión internacional (nivel 1, libro del profesor)* Madrid, Santillana.

Vuletic´, B. y J. Cureau 1976: *Enseignement de la prononciation: le système verbo-tonal: S. G. A. V.; suivi d'un précis de correction phonétique des francophones apprenant l'anglais,* París, Didier.

Wennerstrom, A. 1998: "Intonation as cohesion in academic discourse: a study of Chinese speakers of English", *Studies in Second Language Acquisition,* 20/1: 1-25.

Wessels, C. y K. Lawrence 1992: "Using drama voice techniques in the teaching of pronunciation", En A. Brown (Ed.), *Approaches to Pronunciation Teaching,* Óxford, Macmillan.

APÉNDICE

Aquí vamos a explicar un sencillo modo de proceder en la preparación y aplicación de unas pruebas auditivas que nos permitirán recoger datos empíricos de nuestros alumnos de ELE y así empezar a averiguar en qué aspectos de la acentuación y entonación españolas tienen más dificultades.

1. Prueba auditiva de percepción de la acentuación española

Comenzamos por el proceso de la preparación de la prueba:

- Elaboramos una lista de 35 palabras bisílabas y trisílabas, combinando todos los patrones acentuales posibles.

- Buscamos siete hispanohablantes nativos[60] de acento no marcado (estándar).

- A cada uno le asignamos un número y le pedimos que ensaye su lista de cinco palabras. Cada lista contiene dos bisílabas y tres trisílabas.

- Después de ensayar, cada nativo (*o informante*) lee sus cinco palabras mientras nosotros vamos grabando en una casete. Les pedimos que entre palabra y palabra dejen unos 5 segundos de silencio, para que luego los alumnos que van a escuchar[61] tengan tiempo de pensar y contestar. Realizamos 3 veces la grabación y al final escogemos la que suene más natural. Así obtenemos la grabación completa de estas 35 palabras:

Informante 1:	*libro, tomo, término, limite, habito;*
informante 2:	*bailó, ceno, límite, animo, arbitró;*
informante 3:	*sacó, cenó, hábito, intimo, célebre;*
informante 4:	*canto, pesó, limité, intimó, animó;*
informante 5:	*bailo, libró, termino, ánimo, íntimo;*
informante 6:	*peso, tomó, celebre, árbitro, terminó;*
informante 7:	*cantó, saco, habitó, arbitro, celebré.*

---

[60] En fonética experimental, a las personas que realizan esta tarea nos referimos como *informantes*.
[61] En fonética experimental, a las personas que realizan esta tarea nos referimos como *oyentes*.

El objetivo de esta prueba es valorar en qué medida nuestros alumnos son capaces de percibir la posición del acento en esas 35 palabras. Desde el punto de vista estadístico, lo ideal es aplicar la prueba auditiva a un mínimo de 30 alumnos (u *oyentes*). Si tenemos alumnos de varios niveles, aplicamos la prueba a un mínimo de 30 alumnos por nivel, y así podremos comparar la evolución de nivel a nivel.

La aplicación de la prueba es sumamente sencilla. A cada oyente le entregamos una hoja de respuestas (v. más abajo), en la que debe ir marcando, mientras escucha la grabación, la casilla correspondiente en cada palabra[62] (de la 1 a la 35): la primera casilla, si cree que la sílaba acentuada es la primera; la segunda, si cree que la sílaba acentuada es la segunda; y la tercera, si cree que la sílaba acentuada es la tercera. A modo de ejemplo, marcamos las casillas correctas de las primeras palabras. La grabación sólo la escuchan una vez.

HOJA DE RESPUESTAS PARA LA PRUEBA AUDITIVA DE PERCEPCIÓN DE LA ENTONACIÓN ESPAÑOLA EN ENUNCIADOS LEÍDOS

1			2			3			4			5		
X			X			X				X				X
6			7			8			9			10		
11			12			13			14			15		
16			17			18			19			20		
21			22			23			24			25		
26			22			28			29			30		
31			32			33			34			35		

---

[62] En evaluación el término preciso para referirnos a cada una de estas *palabras* sería *ítem*.

2. Prueba auditiva de percepción de la entonación española

Elaboramos una lista de veinticuatro enunciados: seis declarativos (.), seis enfáticos (!), seis preguntas pronominales (?p) y seis preguntas absolutas (?). A continuación confeccionamos una segunda lista, repitiendo los mismos enunciados de la lista anterior, pero alterando el orden.

Primera lista, para el informante A

1.- Ya ha terminado de comer.
2.- ¡Y yo qué sé cuándo vendrá!
3.- ¿Dónde trabaja?
4.- ¿Ya ha vuelto a Taiwán?
5.- ¡Que ha ido a correr!
6.- ¿Se ha engordado 10 Kg?
7.- Ya ha vuelto a Taiwán.
8.- ¿Ha ido a correr?
9.- ¡Que todavía no ha llegado!
10.- Está muy cansado.
11.- ¿Ellos dónde viven?
12.- ¿Verdad que se ha casado?
13.- ¿Ya ha terminado de comer?
14.- ¡Es que está muy cansado!
15.- ¿Por qué está cansado?
16.- No ha llegado todavía.
17.- ¿Cuándo vendrá él?
18.- ¿No ha llegado todavía?
19.- Te puedo ayudar mañana.
20.- Yo sé dónde trabaja.
21.- ¿Cuántos niños tiene?
22.- ¡Se ha engordado 10 Kg!
23.- ¿Quién puede ayudarme mañana?
24.- ¡Ya ha terminado de comer!

Segunda lista, para el informante B

25.- ¿Ellos dónde viven?
26.- Está muy cansado.
27.- ¿Dónde trabaja?
28.- ¿Se ha engordado 10 Kg?
29.- ¡Es que está muy cansado!
30.- ¿Ya ha vuelto a Taiwán?
31.- Yo sé dónde trabaja.
32.- ¿Ha ido a correr?
33.- Ya ha terminado de comer.
34.- ¡Que todavía no ha llegado!
35.- ¿Cuántos niños tiene?
36.- ¡Ya ha terminado de comer!
37.- ¿Verdad que se ha casado?
38.- ¿Por qué está cansado?
39.- Ya ha vuelto a Taiwán.
40.- ¿Cuándo vendrá él?
41.- Te puedo ayudar mañana.
42.- No ha llegado todavía.
43.- ¿Ya ha terminado de comer?
44.- ¡Y yo qué sé cuándo vendrá!
45.- ¿No ha llegado todavía?
46.- ¡Que ha ido a correr!
47.- ¿Quién puede ayudarme mañana?
48.- ¡Se ha engordado 10 Kg!

La grabación definitiva consiste en la lectura de ambas listas por parte de dos informantes nativos de acento estándar. Lo ideal es que los informantes sean buenos actores y que lean como si no estuvieran leyendo, como si estuvieran improvisando. Para ello siempre pedimos a nuestros informantes que antes de la grabación estudien los enunciados hasta casi memorizarlos. A la hora de grabar, basta una mirada a cada enunciado para recordarlo, de modo que no precisan una lectura atenta. También en esta prueba espaciamos los enunciados entre sí (5 segundos aproximadamente), con el fin de que los oyentes tengan tiempo de decidir. Realizamos 2 veces la grabación y al final escogemos la que suene más natural.

El objetivo de esta prueba es valorar en qué medida nuestros alumnos (u oyentes) son capaces de percibir la entonación en esos 48 enunciados. Como hemos apuntado más arriba, estadísticamente, lo ideal es aplicar la prueba auditiva a un mínimo de 30 oyentes. Si tenemos alumnos de varios niveles, aplicamos la prueba a un mínimo de 30 oyentes por nivel, y así podremos comparar la evolución de nivel a nivel.

La aplicación de esta sencilla prueba auditiva consiste en escuchar un total de 48 enunciados. A cada oyente le entregamos una hoja de respuestas (v. más abajo), en la que debe marcar la casilla correspondiente en cada ítem o enunciado (del 1 al 48): la de la izquierda (.), si cree que lo que oye es un enunciado declarativo; la del centro (!), si cree que es un enunciado enfático; y la de la derecha (?), si cree que es una pregunta (sea del tipo que sea). Los oyentes escuchan dos veces la grabación completa. A modo de ejemplo, marcamos las casillas correctas de los primeros enunciados.

Hoja de respuestas para la prueba auditiva de percepción de la entonación española en enunciados leídos

1	. X	!	?	25	.	!	?
2	.	! X	?	26	.	!	?
3	.	!	? X	27	.	!	?
4	.	!	? X	28	.	!	?
5	.	! X	?	29	.	!	?
6	.	!	?	30	.	!	?
7	.	!	?	31	.	!	?
8	.	!	?	32	.	!	?
9	.	!	?	33	.	!	?
10	.	!	?	34	.	!	?
11	.	!	?	35	.	!	?
12	.	!	?	36	.	!	?
13	.	!	?	37	.	!	?
14	.	!	?	38	.	!	?
15	.	!	?	39	.	!	?
16	.	!	?	40	.	!	?
17	.	!	?	41	.	!	?
18	.	!	?	42	.	!	?
19	.	!	?	43	.	!	?
20	.	!	?	44	.	!	?
21	.	!	?	45	.	!	?
22	.	!	?	46	.	!	?
23	.	!	?	47	.	!	?
24	.	!	?	48	.	!	?

Antes de empezar a escuchar las grabaciones, aclaramos a los oyentes los detalles de las pruebas.

1. Se trata de un experimento enmarcado en una investigación sobre la acentuación y la entonación españolas.

2. No hay razón alguna para inquietarse. Las pruebas son totalmente anónimas. No tienen nada que ver con un examen.

3. No se espera que entiendan todo lo que dicen los locutores de la grabación que van a escuchar. Basta con que se concentren en la *melodía* de las palabras o de las frases que van a oír.

4. La labor de los participantes consiste, sencillamente, en escuchar unas grabaciones en español y señalar unas casillas en las hojas de respuestas que se les va a entregar. En cada número (palabra o frase) marcar sólo una casilla.

5. En la hoja de respuestas de la prueba sobre la acentuación, cada casilla corresponde a una sílaba. Escuchar la grabación y marcar la casilla correspondiente a la sílaba acentuada (1.ª sílaba, 2.ª sílaba o 3.ª sílaba).

6. En la hoja de respuestas de la prueba sobre la entonación, cada número corresponde a una frase de la grabación. A la derecha de cada número aparecen las tres opciones: (.), (!) y (?). Recordarles que el énfasis puede corresponder a alegría, sorpresa, enfado, insistencia, atención especial, etc. Escuchar la grabación y marcar en cada caso la casilla que crean oportuna: si creen que se trata de un enunciado declarativo, marcar la 1ª. casilla (.); de un enunciado con énfasis, la 2ª. casilla (!); y de una pregunta (sea del tipo que sea), la 3ª. casilla (?).

7. Ante la duda, es preferible dejar un *ítem* en blanco antes que rellenarlo al azar o mirando la respuesta de otro compañero.

8. En el caso de que durante la audición alguna interferencia acústica (p. ej., ruido de pupitres, estornudo, tráfico en la calle) o de cualquier otro tipo entorpezca la labor de los oyentes, no hay inconveniente alguno para que vuelvan a escuchar la(s) frase(s) o palabra(s) afectadas.

TÍTULOS PUBLICADOS

1. FONÉTICA PARA APRENDER ESPAÑOL: PRONUNCIACIÓN.
Dolors Poch Olivé

2. LA ENSEÑANZA DEL ESPAÑOL MEDIANTE TAREAS.
Javier Zanón Gómez (Coordinador)

3. TAREAS Y PROYECTOS EN CLASE.
Sonsoles Fernández López (Coordinadora)